09/04 Gulliver 1496

19.95-

POWERPOINT®

POUR DÉBUTANTS

AVEC MICROSOFT® POWERPOINT® 2000

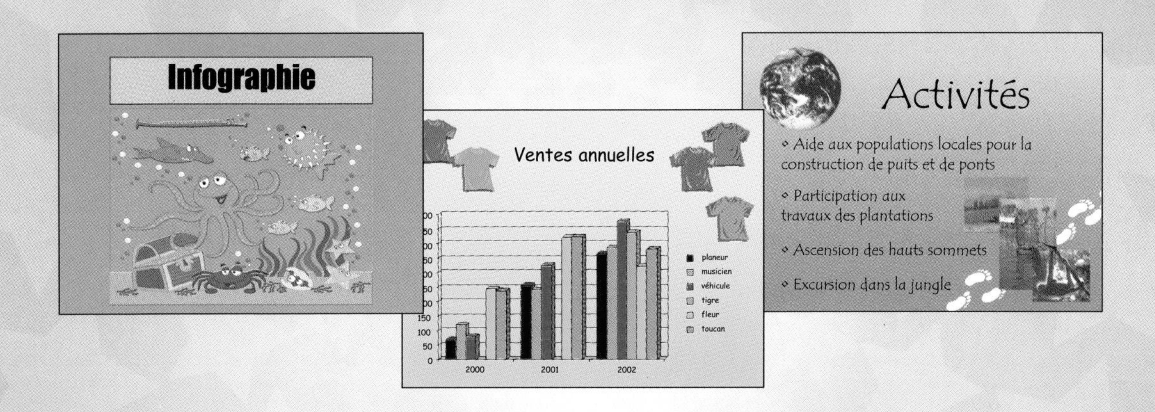

Ruth Brocklehurst

WITHDRAWN

Maquette : Isaac Quaye

Maquette de la couverture : Zoe Wray
Rédaction : Rebecca Gilpin
Illustrations : Yann Brien
Photographies : Howard Allman
Expert-conseil : Cathy Wickens

D1295412

Le présent ouvrage est produit par les éditions Usborne et n'est en aucun cas commandité ou produit en association avec Microsoft Corporation.

Pour l'édition française :
Traduction : Alexia Valembois
Rédaction : Renée Chaspoul et Carla Brown

SF

0904

Sommaire

À propos de cet ouvrage

Tu t'apercevras, grâce à ce livre, qu'il est très facile de créer des présentations sous Microsoft® PowerPoint® 2000. Tu y trouveras des exemples de réalisations expliqués pas à pas avec des instructions simples.

Il est préférable de ne pas sauter les premiers chapitres, car tu y apprendras les notions élémentaires qui te permettront de réaliser les exercices proposés plus loin. Dès lors que tu auras acquis ces techniques de base, tu n'auras aucun mal à aller plus loin.

Coup de pouce

PARFAITS DÉBUTANTS
Ne t'inquiète pas si tu n'as encore jamais utilisé un ordinateur. Les pages 40 à 43 t'indiquent tout l'équipement dont tu as besoin et ce qu'il faut faire pour avoir PowerPoint sur ton ordinateur.

PHÉNOMÈNES BIZARRES
S'il se passe quelque chose d'inattendu, pas de panique : la rubrique dépannage, aux pages 44-46, t'aidera à comprendre quelques problèmes informatiques courants.

JARGON TECHNIQUE
Chaque nouveau terme informatique apparaît en **caractères gras**. Le glossaire de la page 47 explique ces termes techniques en langage simple et usuel.

J'apparais tout le long du livre pour te donner des conseils et des astuces supplémentaires.

Les présentations

Faire une présentation permet d'exposer à un public des idées ou des informations. Que tu t'adresses aux élèves de ta classe ou à des professionnels, ton but est de bien te faire comprendre et de susciter leur intérêt.

Microsoft® PowerPoint® 2000

PowerPoint est un **programme** informatique qui sert à créer des présentations attrayantes pouvant capter l'attention d'un public varié.

Une présentation PowerPoint est constituée d'une série de pages sur lesquelles se trouvent des informations. Le public suit en les regardant, soit à l'écran d'un ordinateur, soit projetées sur un mur.

Tu peux faire une présentation PowerPoint face à un grand nombre de personnes en la projetant sur grand écran.

Les présentations PowerPoint offrent un excellent moyen de communiquer des informations importantes mais l'on trouve aussi de nombreuses cartes, blagues et autres messages amusants qui s'échangent par courrier électronique sous forme de présentations PowerPoint.

Les présentations PowerPoint®

Ce chapitre présente les différents éléments constitutifs d'une présentation PowerPoint. On désigne par **diapositive** chacune des pages d'une présentation et par **diaporama** l'ensemble de la présentation. Dans ce livre, tu vas apprendre à créer des diapositives, des **documents** que tu pourras distribuer et des **commentaires**, comme illustré sur ces pages.

Les diapositives

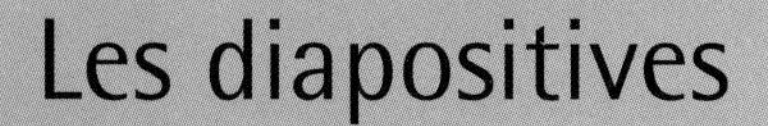

Ce sont elles que tu présentes, l'une après l'autre, à ton auditoire. Chaque diapositive peut commencer avec un en-tête, en haut, suivi du texte ou des images. En général, un diaporama comporte une dizaine de diapositives ; au-delà, le public risque de se lasser.

Sur les diapositives, le texte doit être facile à lire de loin.

Vol
• La forme de leurs ailes est adaptée au vol.
ondies sur le dessus et
s.
bat des ailes, il exerce
ir.

Migration

- De nombreux oiseaux migrent sous d'autres latitudes aux changements de saison.
- Les oiseaux migrent afin de trouver de la nourriture et un climat plus chaud.

Les images permettent d'égayer les diapositives.

Voici quelques diapositives constituant une présentation sur les oiseaux.

Les oiseaux

en-tête

Oiseaux coureurs

- émeus
- autruches
- kiwis
- nandous
- casoars

Tu peux présenter tes créations graphiques sur diapositives.

Reproduction pop art
Tennis : les trucs de Tom

Ces diapositives te donnent un aperçu des autres possibilités que t'offre PowerPoint.

Tableau

Planning des cours

	lundi	mardi	mercredi	jeudi	ve
danse	Paul		Paul	Chloé	La
yoga	Chloé	Laure		Laure	Luc
step	Laure	Paul	Luc		Chloé
gym	Luc		Chloé	Luc	Paul

Diagramme en colonnes

Ventes trimestrielles sur l'année

350, 300, 250, 200, 150, 100, 50, 0

1er trim. 2e trim. 3e trim. 4e trim.

ventes par correspondance
boutiques
promotions

FONCTIONS DES COMBINAISONS SPATIALES

- ISOLANTES, CONTRE LE FROID OU LA CHALEUR EXTRÊME DANS L'ESPACE
- ALIMENTATION EN OXYGÈNE POUR LA RESPIRATION
- RÉGULATION DE LA PRESSION, POUR MAINTENIR LES FLUIDES ORGANIQUES À L'ÉTAT LIQUIDE

Tu peux intégrer des photographies à tes présentations.

Les diapositives peuvent même comporter des effets spéciaux, par exemple des caractères ou des images animées.

Faire un plan

Tu as intérêt à faire un plan de ta présentation sur papier avant de passer à l'ordinateur.

Détermine le contenu des différentes diapositives et l'emplacement des éventuels diagrammes, images et photographies. Trouve ensuite un titre concis décrivant ce que présente chaque diapositive.

Comme il est facile de modifier une présentation, ton plan n'a pas besoin d'être définitif.

Plan de la présentation

1. Titre de la présentation - Les oiseaux (avec images d'oiseaux)
2. Caractéristiques des oiseaux
3. Œufs (image d'un nid contenant des œufs)
4. Plumes (liste des différents types de plumes)
5. Vol (schéma expliquant comment font les oiseaux pour voler)
6. Migration (qu'est-ce que la migration et pourquoi certains oiseaux migrent-ils ?)
7. Oiseaux coureurs (liste des oiseaux coureurs avec images)
8. Les oiseaux que j'ai observés en Corse (diagramme en colonnes)

Les commentaires

Dans les commentaires, tu inscris ce que tu vas dire au cours de ta présentation. Cette partie reste invisible au public. Chaque feuille contient une image réduite de la diapositive suivie des commentaires servant à te rappeler ce que tu es censé dire ou faire pendant que le reste de l'assemblée observe la diapositive.

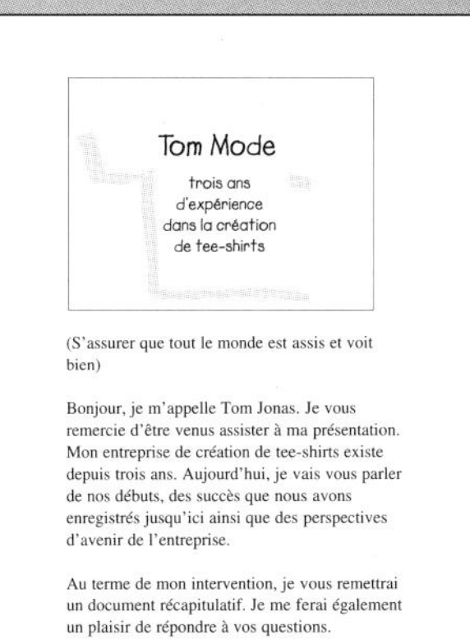

Tom Mode
trois ans d'expérience dans la création de tee-shirts

(S'assurer que tout le monde est assis et voit bien)

Bonjour, je m'appelle Tom Jonas. Je vous remercie d'être venus assister à ma présentation. Mon entreprise de création de tee-shirts existe depuis trois ans. Aujourd'hui, je vais vous parler de nos débuts, des succès que nous avons enregistrés jusqu'ici ainsi que des perspectives d'avenir de l'entreprise.

Au terme de mon intervention, je vous remettrai un document récapitulatif. Je me ferai également un plaisir de répondre à vos questions.

Imprime tes commentaires en noir et blanc pour économiser l'encre couleur.

Les documents

Il s'agit d'un imprimé reprenant tes diapositives dans un format réduit que tu peux distribuer aux personnes venues assister à ta présentation.

Il y a plusieurs façons d'imprimer les documents.

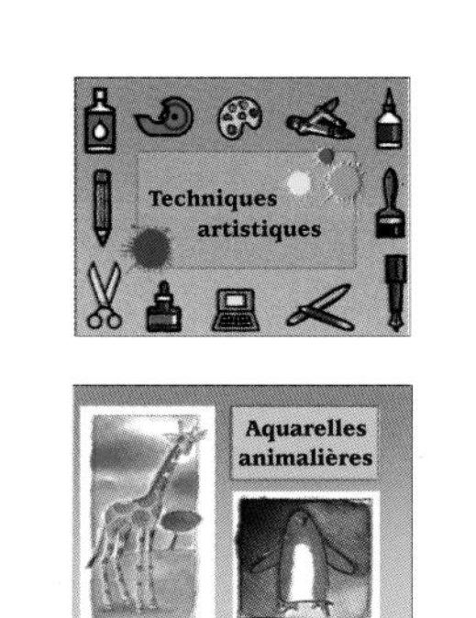

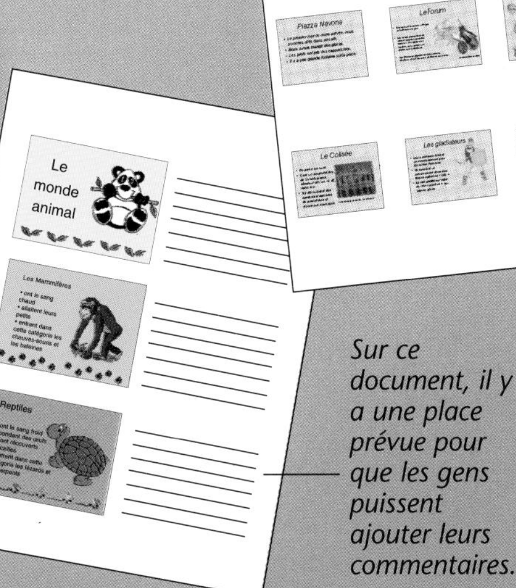

Ici, plusieurs diapositives sont imprimées sur une seule page, permettant ainsi de faire des économies de papier.

Sur ce document, il y a une place prévue pour que les gens puissent ajouter leurs commentaires.

Démarrer PowerPoint® 2000

Voici la marche à suivre pour démarrer PowerPoint et ouvrir une présentation vierge dans laquelle tu pourras intégrer plus tard textes, images et arrière-plans. Tu dois avant tout savoir utiliser la **souris**.

Utiliser la souris

En déplaçant ta souris, tu fais bouger, à l'écran, une petite flèche, appelée **pointeur**. Appuie et relâche le bouton gauche de la souris. Cela s'appelle **cliquer**. En cliquant, tu indiques à l'ordinateur de faire quelque chose. Dans les exercices du livre, utilise toujours le bouton gauche de la souris quand il faut simplement cliquer. Il te sera, sinon, expressément demandé de **cliquer avec le bouton droit** de la souris.

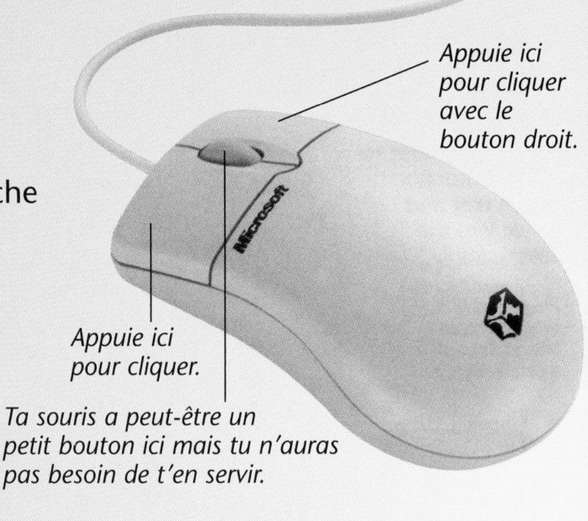

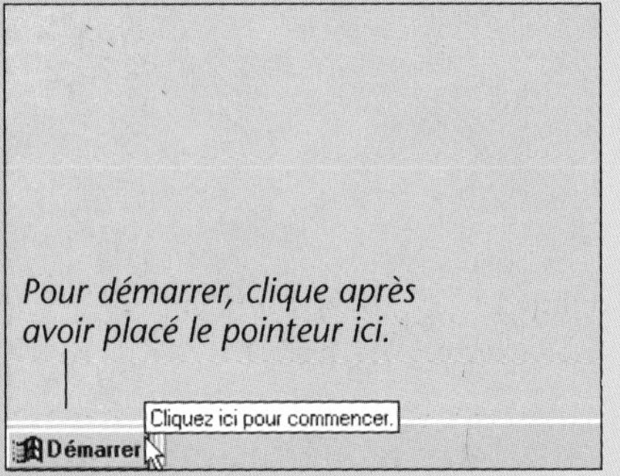

1. Allume ton ordinateur. Une fois l'écran Windows® affiché, clique sur *Démarrer* dans le coin inférieur gauche.

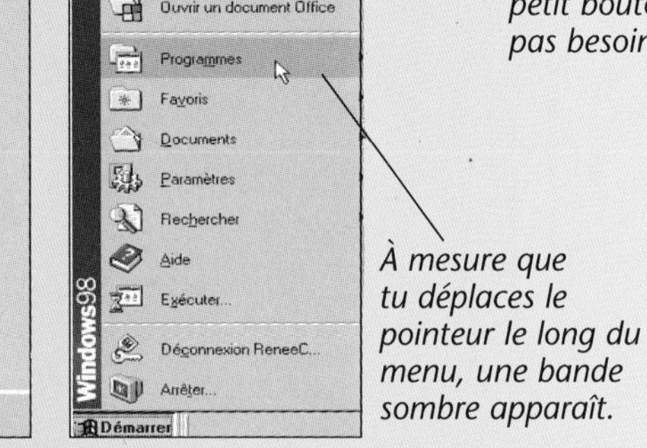

2. Une liste, appelée **menu**, apparaît. Amène le pointeur en haut du menu et clique sur le mot *Programmes*.

Si Microsoft PowerPoint ne figure pas dans le menu, consulte la page 44.

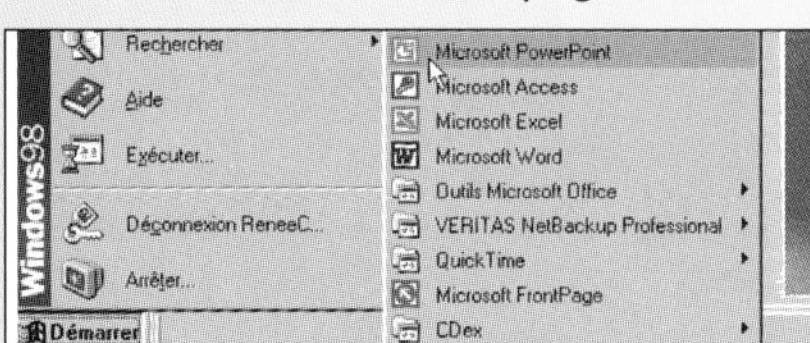

3. Un deuxième menu apparaît. Si *Microsoft PowerPoint* figure dans le menu, clique après avoir placé le pointeur dessus.

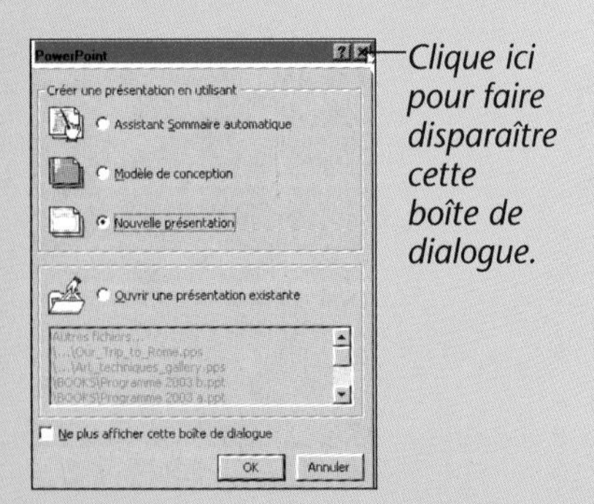

4. Si cette **boîte de dialogue** apparaît, clique sur la croix en haut à droite pour la faire disparaître. Sinon, va à l'étape 5.

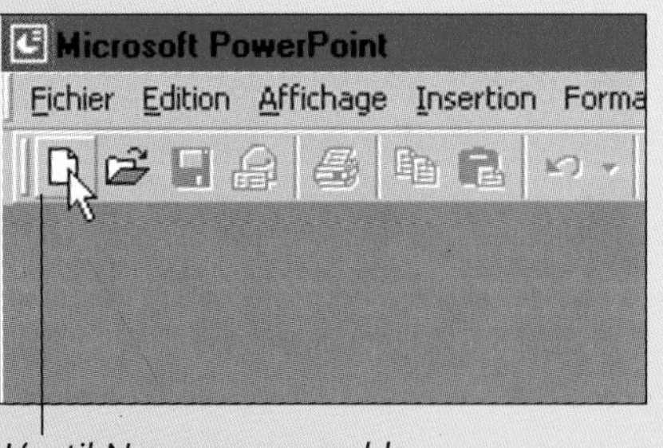

L'outil Nouveau ressemble à une feuille blanche.

5. Amène le pointeur dans le coin supérieur gauche de l'écran et clique sur l'**outil** Nouveau (ci-dessus).

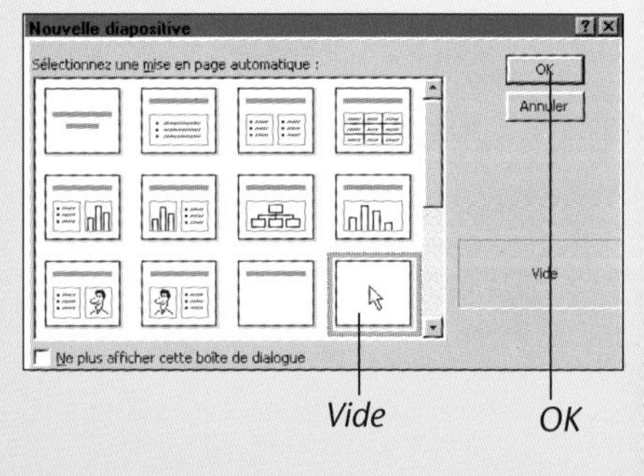

6. La boîte de dialogue Nouvelle diapositive apparaît au milieu de l'écran. Clique sur l'option Vide, puis sur *OK*.

La fenêtre PowerPoint

À présent, ton écran ressemble à cela. Il s'agit de la **fenêtre** PowerPoint. Elle se compose de trois parties distinctes appelées **volets**. Ne t'inquiète pas si ton écran n'est pas tout à fait pareil à celui-ci, l'apparence peut légèrement varier d'un ordinateur à l'autre.

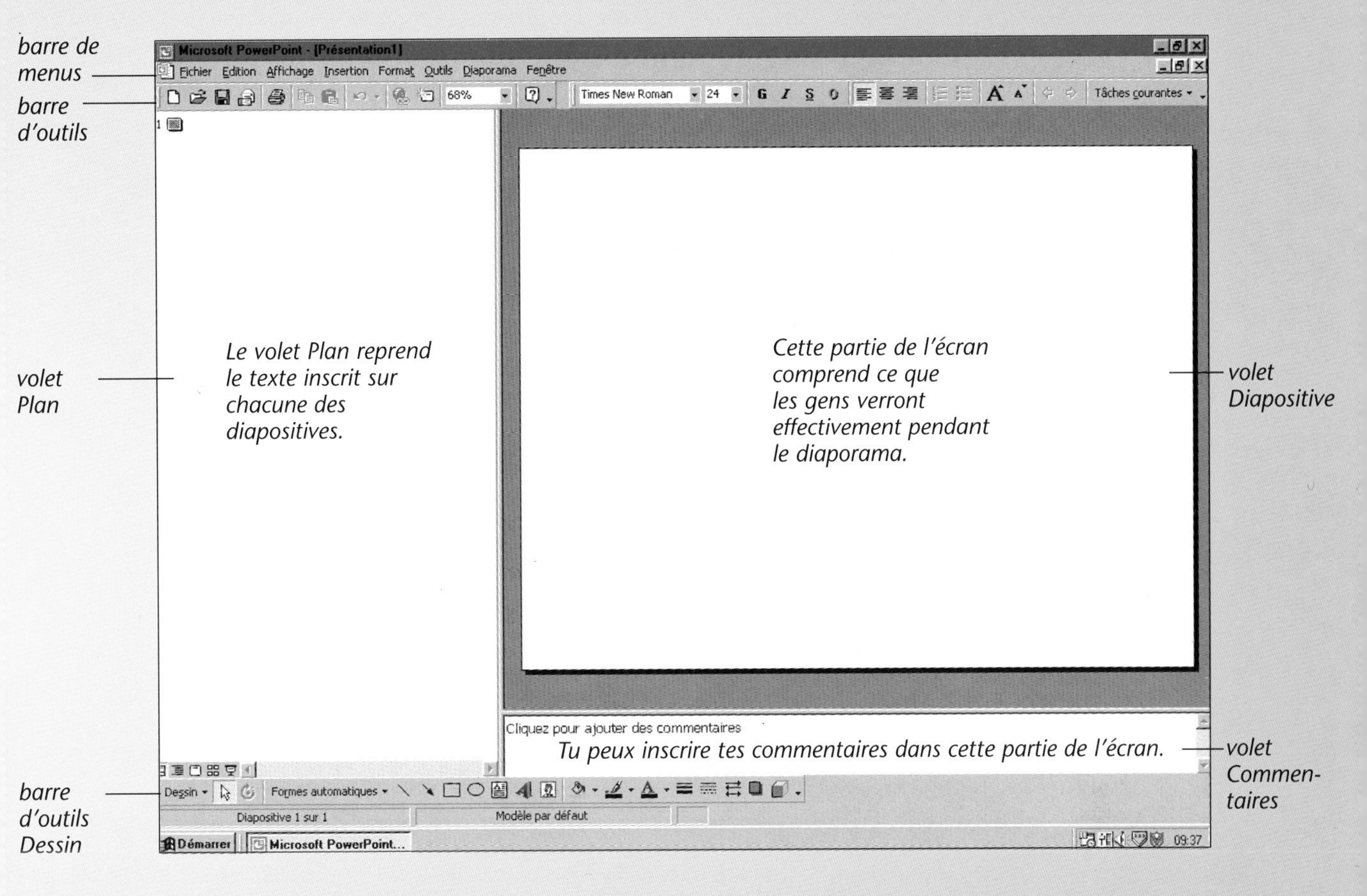

Les outils

Les outils offrent souvent le moyen le plus rapide de donner des instructions à l'ordinateur. Sur ton écran, tous les outils ne seront peut-être pas visibles, car PowerPoint n'affiche que les plus fréquemment utilisés. Il ne t'en manque aucun et tu les trouveras sans mal. Pour les retrouver, il te suffit de cliquer sur l'une des doubles flèches, à l'extrémité de la **barre d'outils**. Si les barres d'outils n'apparaissent pas sur ton écran, consulte les conseils de la page 44.

Voici quelques outils dont tu vas apprendre à te servir.

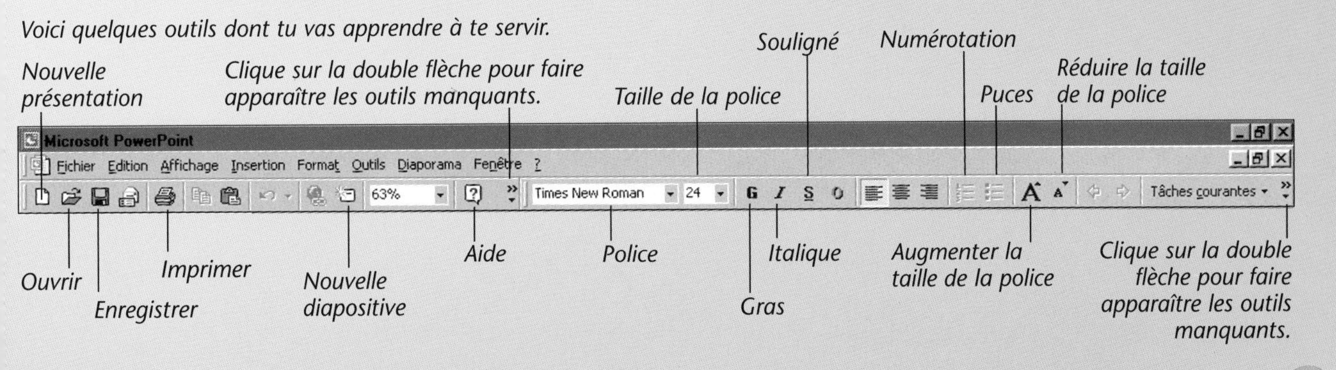

Créer une présentation

Ta première diapositive se crée dès que tu te mets à taper au clavier. Ce chapitre t'explique comment créer les suivantes, puis comment passer de l'une à l'autre. Tu vas également découvrir tout ce qu'il peut se produire au fur et à mesure. Commençons donc par explorer le clavier !

Le clavier

Lorsque tu commences à taper, ou « saisir », au clavier, cela peut te sembler quelque peu déroutant. Rassure-toi, tu n'auras pas à utiliser toutes les touches mais en voici quelques-unes qui te seront utiles.

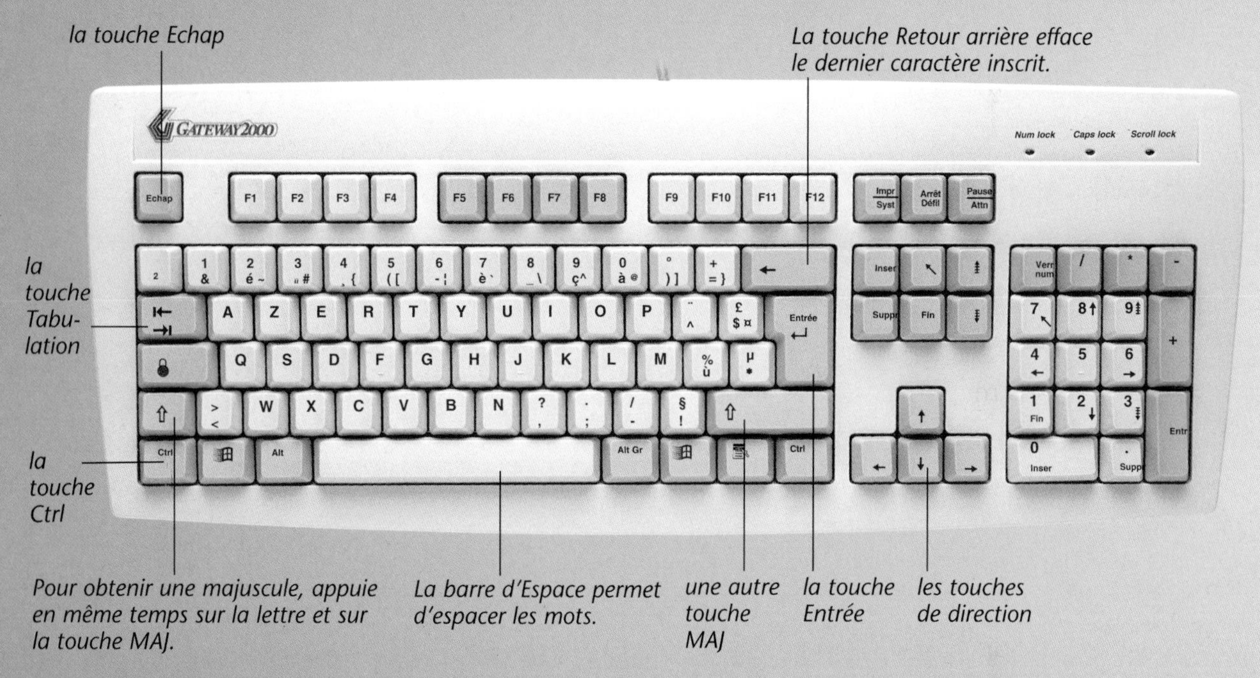

Saisir les premiers mots

Le point d'insertion apparaît ici.

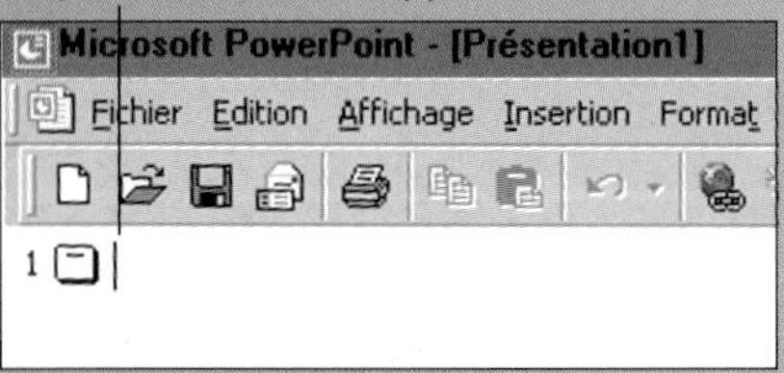

Le volet Diapositive te permet de visualiser l'apparence actuelle de ta première diapositive

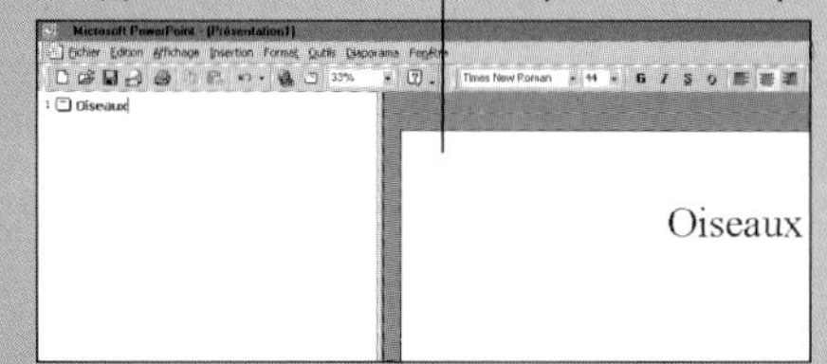

Microsoft PowerPoint - [Présentation1]
Fichier Edition Affichage Insertion Format
1 Oiseaux
2 Caractéristiques des oiseaux

1. Dans le coin supérieur gauche du volet Plan figure une diapositive miniature qui porte un numéro. Le **point d'insertion** apparaît lorsque tu cliques à droite de celle-ci.

2. Commence par saisir le titre de ta présentation. Au fur et à mesure, le titre apparaît aussi dans le volet Diapositive. Appuie ensuite, au clavier, sur la touche Entrée.

3. Une deuxième diapositive apparaît. Inscris l'en-tête que tu as noté sur ton plan pour cette diapositive. Appuie de nouveau sur Entrée et continue ainsi pour tous les autres en-têtes.

Passer de l'une à l'autre

Le volet Diapositive n'affiche qu'une seule diapositive à la fois et le volet Plan affiche tous les mots que tu as saisis jusqu'ici. Tu vas voir maintenant comment te déplacer d'une diapositive à l'autre.

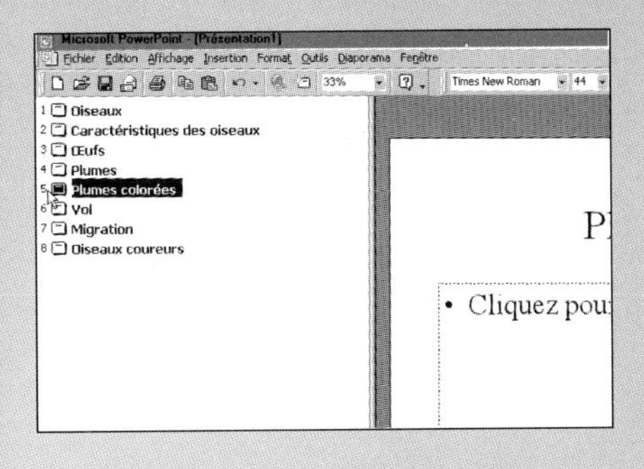

1. Amène le pointeur dans le volet Plan et clique sur le numéro de la diapositive de ton choix. Celle-ci s'affiche alors dans le volet Diapositive.

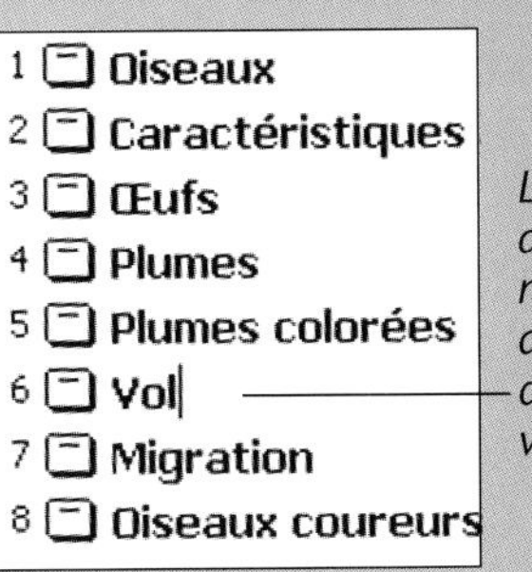

Le point d'insertion monte ou descend dans le volet Plan.

2. Pour afficher la diapositive suivante, appuie à la fois sur les touches Ctrl et de direction vers le bas, et celle de direction vers le haut pour la précédente.

L'Assistant Office

Il s'agit d'un personnage animé ayant, en général, l'apparence d'un trombone. Il offre de bons conseils mais ses explications sont parfois un peu compliquées.

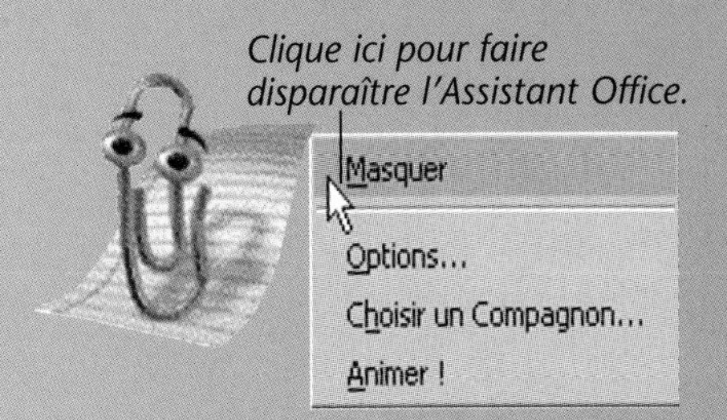

Clique ici pour faire disparaître l'Assistant Office.

Pour le faire disparaître, clique dessus avec le bouton droit. Un menu s'ouvre automatiquement. Clique sur *Masquer*. Tu en sauras plus sur son utilisation page 45.

Orthographe

faute d'orthographe

Parfois, un trait rouge ondulé apparaît sous certains mots que tu saisis. L'ordinateur te signale ainsi que ce mot contient peut-être une faute d'orthographe. Bien qu'utile, cela peut s'avérer ennuyeux. Pour enlever cette fonction, suis ces instructions. Mais ne t'en soucie pas trop, car en fin de compte, ces traits n'apparaîtront ni sur le diaporama, ni sur les documents imprimés.

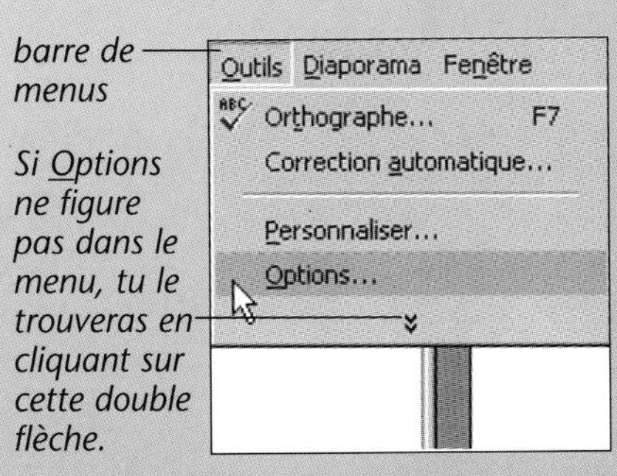

barre de menus

Si Options ne figure pas dans le menu, tu le trouveras en cliquant sur cette double flèche.

1. Pour enlever les traits rouges ondulés, clique sur *Outils* dans la barre de menus. Fais ensuite descendre le pointeur dans le menu qui apparaît et clique sur *Options*.

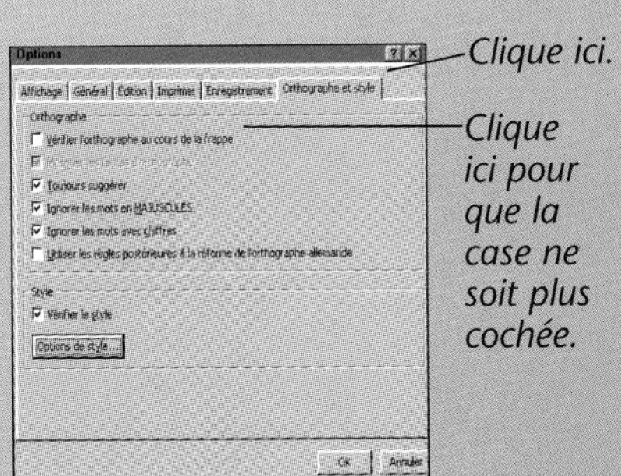

Clique ici.

Clique ici pour que la case ne soit plus cochée.

2. Une boîte de dialogue apparaît. Clique sur *Orthographe et style*, en haut à droite. Clique sur *Vérifier l'orthographe au cours de la frappe* pour que la case ne soit plus cochée, puis sur *OK*.

L'ampoule

Peut-être verras-tu aussi une petite ampoule apparaître quand tu tapes au clavier. Tu peux cliquer dessus pour obtenir des conseils sur ton style. Comme sa présence est parfois gênante, voici comment la désactiver.

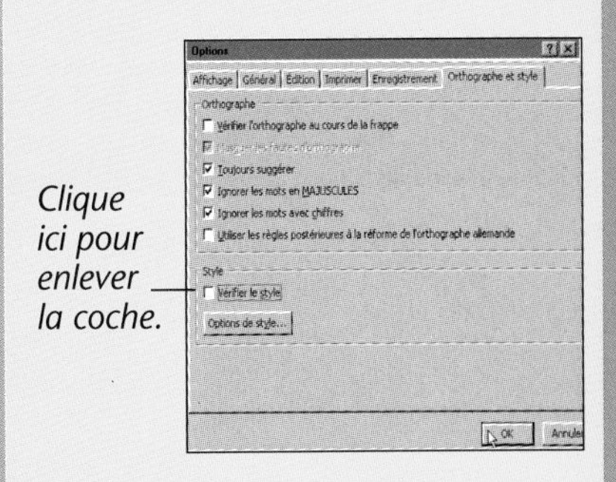

Clique ici pour enlever la coche.

Reprends les étapes suivies pour enlever les traits rouges ondulés. Clique cette fois sur *Vérifier le style* et la coche disparaît. Puis clique sur *OK*.

Enregistrer son travail

Il faut maintenant que tu **enregistres** ce que tu as fait jusqu'ici. Cela consiste à stocker ton travail sur l'ordinateur afin de pouvoir le reprendre plus tard. Si tu n'enregistres pas avant d'éteindre ton ordinateur, tu devras tout recommencer depuis le début. Pour enregistrer ta présentation, tu dois d'abord créer le **dossier** dans lequel tu vas la ranger.

Créer un nouveau dossier

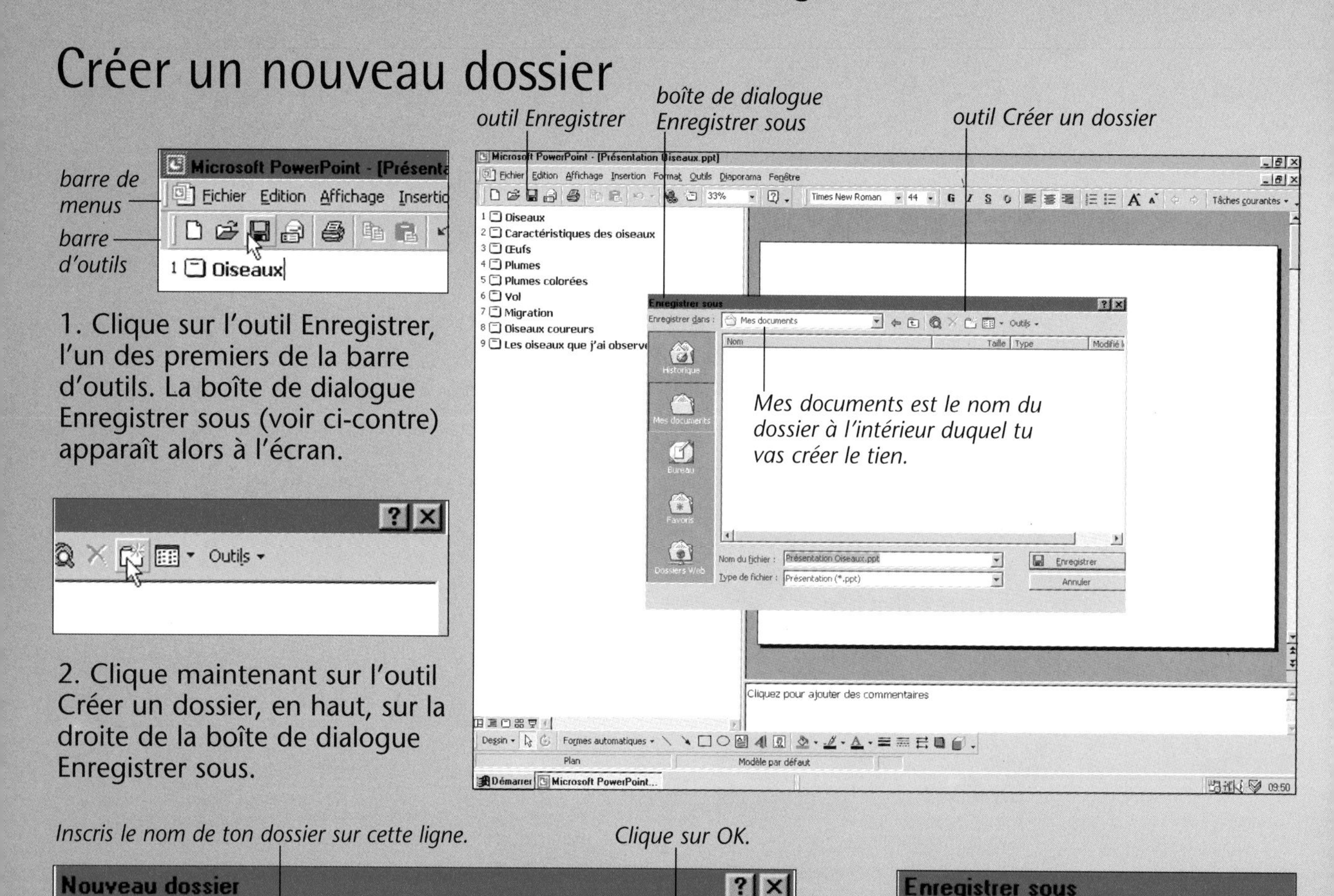

1. Clique sur l'outil Enregistrer, l'un des premiers de la barre d'outils. La boîte de dialogue Enregistrer sous (voir ci-contre) apparaît alors à l'écran.

2. Clique maintenant sur l'outil Créer un dossier, en haut, sur la droite de la boîte de dialogue Enregistrer sous.

Inscris le nom de ton dossier sur cette ligne.

Clique sur OK.

3. La boîte de dialogue Nouveau dossier apparaît. Le point d'insertion clignote à l'intérieur d'une longue case blanche, intitulée *Nom :*.

4. Donne à ton dossier un nom que tu n'auras pas de mal à retenir. Inscris celui-ci dans cette case, puis clique sur *OK*.

5. La boîte de dialogue Nouveau dossier disparaît. Le nom de ton dossier est maintenant inscrit en haut de la boîte de dialogue Enregistrer sous.

Enregistrer

À présent, tu peux enregistrer ta présentation dans le dossier que tu viens de créer. Pour ce faire, tu dois lui donner un nom, que l'ordinateur appelle **nom de fichier**. Tu peux reprendre le titre de ta présentation ou lui donner un autre nom.

Tu peux enregistrer plusieurs présentations dans un même dossier. Tu peux également y ranger des images et autres travaux. Lorsque plusieurs personnes partagent un ordinateur, chacune peut créer son propre dossier.

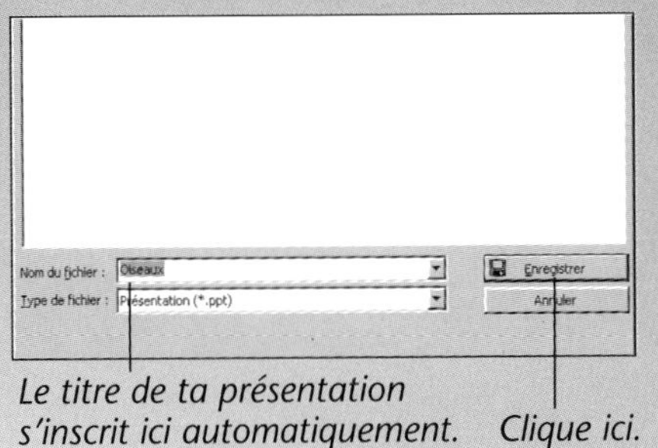

Le titre de ta présentation s'inscrit ici automatiquement. *Clique ici.*

1. Tu gardes comme nom le titre de ta présentation : clique sur *Enregistrer* dans la boîte de dialogue Enregistrer sous et va en 4.

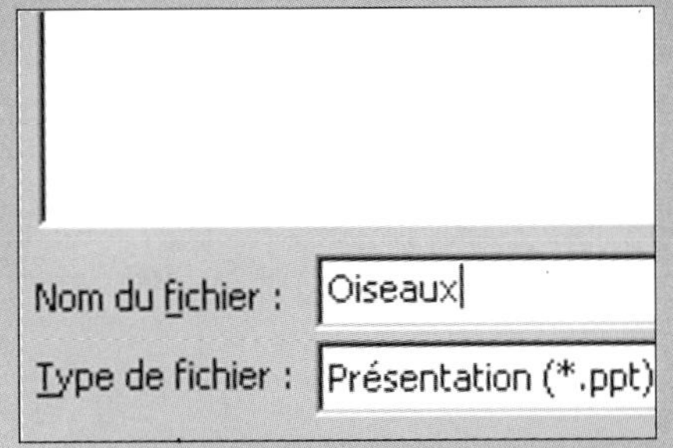

2. Tu enregistres ta présentation sous un nom de fichier différent : clique à droite du titre, dans la case *Nom du fichier*.

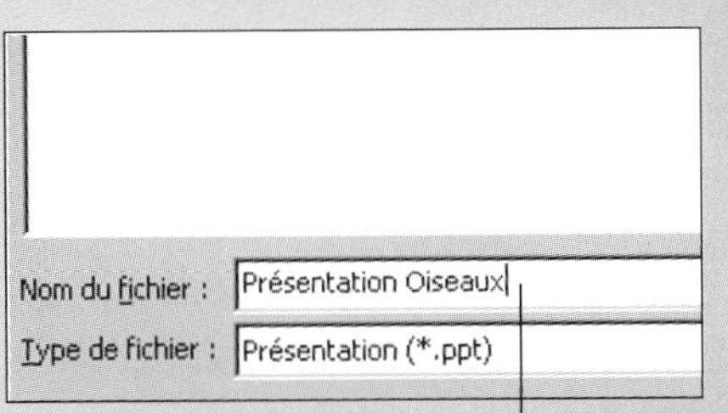

Inscris ici le nouveau nom de fichier.

3. Appuie sur la touche Retour arrière du clavier pour effacer le titre. Inscris maintenant un nouveau nom, puis clique sur *Enregistrer*.

Microsoft PowerPoint - [Présentation Oiseaux
Fichier Edition Affichage Insertion Format
1 Oiseaux
2 Caractéristiques des oiseaux
3 Œufs
4 Plumes
5 Plumes colorées

4. La boîte de dialogue Enregistrer sous disparaît et le nom de fichier de la présentation apparaît dans le coin supérieur gauche de l'écran.

outil Enregistrer

Microsoft PowerPoint - [Présentat
Fichier Edition Affichage Insertion
1 Oiseaux
2 Caractéristiques des oisea

5. Maintenant que tu as nommé ta présentation, tu pourras l'enregistrer, chaque fois que tu la modifies, en cliquant sur l'outil Enregistrer.

Précisions

Chaque fois que tu enregistres les modifications apportées à ta présentation, tu perds la version d'origine en la remplaçant par la version modifiée. Pour enregistrer des modifications sans perdre la version originale, choisis *Enregistrer sous*. C'est pratique si tu veux que, d'un public à l'autre, ta présentation soit légèrement différente.

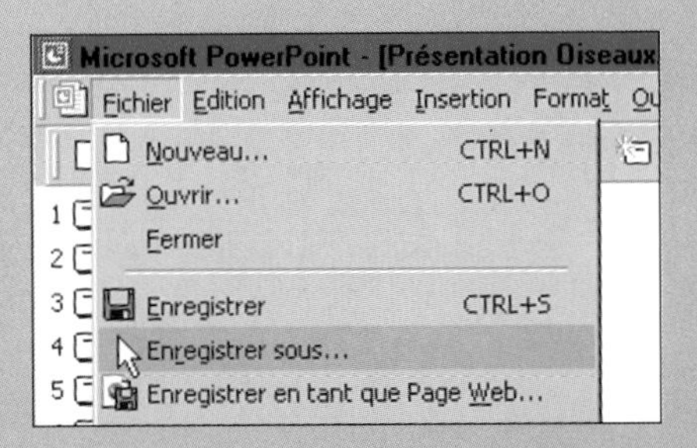

1. Pour enregistrer une nouvelle version de ta présentation, clique sur *Fichier*, puis sur *Enregistrer sous*. La boîte de dialogue Enregistrer sous apparaît.

Nom du fichier : Présentation Oiseaux version club orni
Type de fichier : Présentation (*.ppt)

Nouveau nom de fichier de la présentation

2. Inscris un nouveau nom dans la case *Nom du fichier*. Clique sur *Enregistrer*. À présent, les deux versions sont enregistrées dans ton dossier.

Ajouter du texte

Il est temps d'ajouter du **texte** à tes diapositives. En langage PowerPoint, cela désigne les informations que chaque diapositive doit contenir. En général, la première ne comporte que le titre de ta présentation.

Une liste « à puces »

Dans le volet Diapositive, en dessous de l'en-tête, tu aperçois un cadre en pointillé portant la mention « Cliquez pour ajouter du texte ». C'est une **zone de texte**. Les mots que tu y inscris apparaissent sous forme de liste, chaque nouvelle ligne étant introduite par un point, que l'on appelle **puce**.

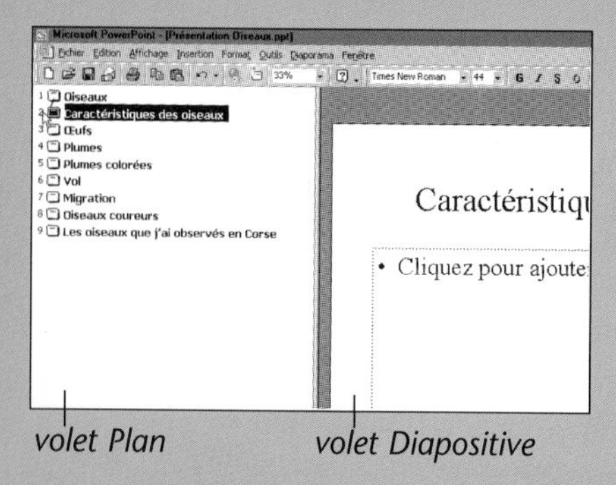

volet Plan *volet Diapositive*

1. Dans le volet Plan, clique sur la deuxième diapositive, qui s'affiche dans le volet Diapositive, puis sur *Cliquez pour ajouter du texte* dans le volet Diapositive.

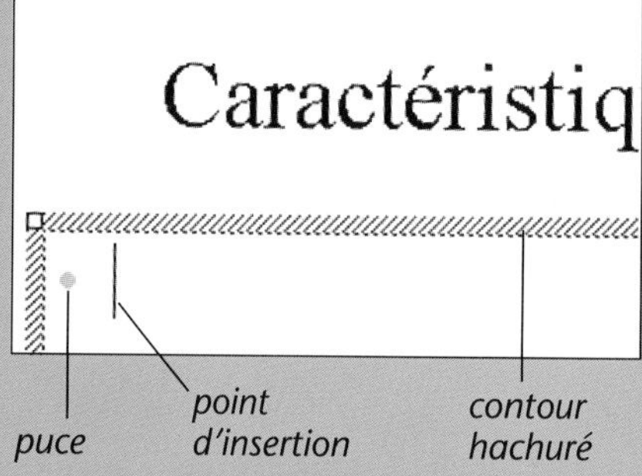

puce *point d'insertion* *contour hachuré*

2. La mention disparaît et le contour de la zone de texte prend un aspect hachuré. Le point d'insertion apparaît, là où tu t'apprêtes à écrire.

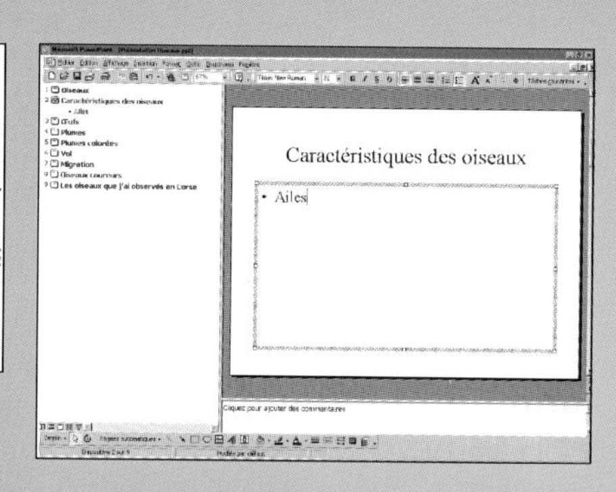

3. À mesure que tu les saisis, les mots s'inscrivent dans la zone de texte de la diapositive. Ils apparaissent également sous l'en-tête, dans le volet Plan.

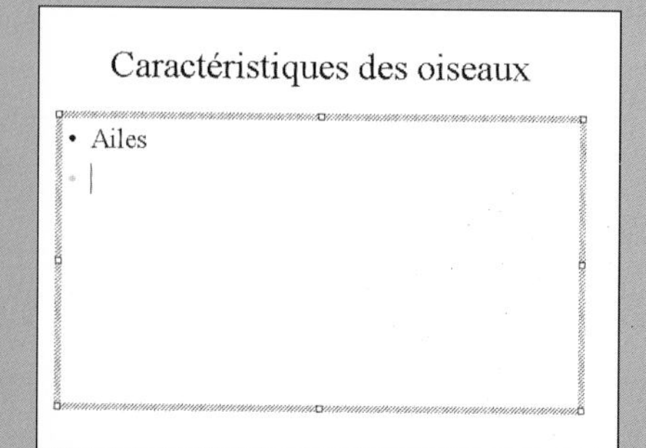

4. Inscris le point suivant après avoir appuyé sur la touche Entrée au clavier. Le point d'insertion apparaît sur la ligne suivante, précédé d'une nouvelle puce.

Caractéristiques des oiseaux
• Ailes
• Plumes
• Bec
• Os légers et creux

5. Une fois la diapositive terminée, enregistre ton travail. Inscris de la même manière du texte sur chacune des autres diapositives de ta présentation.

À chaque nouveau point, le premier mot prend automatiquement une majuscule même si tu oublies de la mettre.

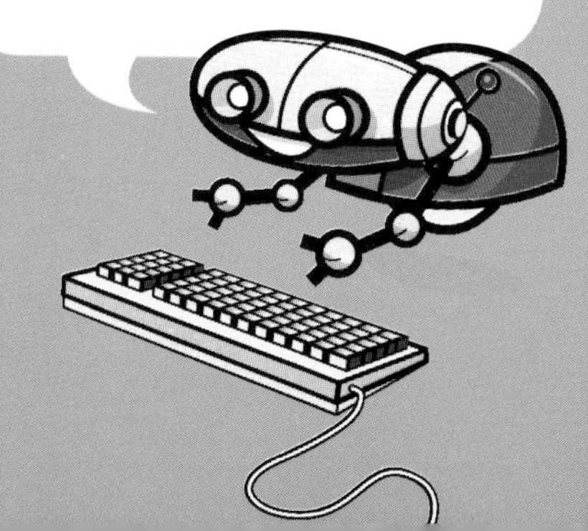

Les caractères rétrécissent

À mesure que la liste à puces de la diapositive s'allonge, tu remarqueras parfois que les lettres rétrécissent et se rapprochent les unes des autres sans que tu interviennes. Cela n'a rien d'anormal : l'ordinateur te signale ainsi qu'il y a trop de lignes de texte sur ta diapositive. Voici ce qui arrive lorsque les caractères commencent à rétrécir.

N'oublie pas d'enregistrer ton travail au fur et à mesure. Pour aller plus vite, appuie sur le S au clavier tout en maintenant la touche Ctrl enfoncée.

Délices de l'Italie

- Pizza aux anchois parsemée de poivrons
- Macaronis
- Pâtes à la Bolognaise
- Raviolis à la viande de bœuf
- Olives vertes farcies au piment
- Salami
- Gorgonzola (fromage à pâte persillée)

1. Les mots qui apparaissent sur les diapositives ont une taille parfaitement lisible. Avec une telle taille, sept lignes peuvent rentrer dans la zone de texte.

Délices de l'Italie

- Pizza aux anchois parsemée de poivrons
- Macaronis
- Pâtes à la Bolognaise
- Raviolis à la viande de bœuf
- Olives vertes farcies au piment
- Salami
- Gorgonzola (fromage à pâte persillée)
- Tiramisu au café

2. S'il y a huit ou neuf lignes, les lettres rétrécissent et se rapprochent les unes des autres afin de pouvoir tenir dans la zone de texte.

Délices de l'Italie

- Pizza aux anchois parsemée de poivrons
- Macaronis
- Pâtes à la Bolognaise
- Raviolis à la viande de bœuf
- Olives vertes farcies au piment
- Salami
- Gorgonzola (fromage à pâte persillée)
- Tiramisu au café
- Cappuccino
- Biscuits aux amandes

3. Maintenant, si tu ajoutes la moindre ligne, les mots vont dépasser de la zone de texte. De loin, la liste sera difficile à lire.

Rester concis

Pour éviter que les lettres ne rétrécissent, essaie de te limiter à sept lignes de texte par diapositive. Utilise des phrases brèves et directes ; ta présentation n'en aura que plus d'effet. Le public aura d'autant moins de mal à lire qu'il y aura peu de mots sur la diapositive. Ainsi, tu garderas également plus de place pour les images.

Délices de l'Italie

- Pizza
- Pâtes
- Olives
- Salami
- Gorgonzola
- Tiramisu

Réserve les images de grande taille aux diapositives ne contenant que quelques mots.

Sur les diapositives, le texte doit être simple et concis.

Caractéristiques des oiseaux

- **Ailes**
- **Plumes**
- **Bec**
- **Os légers et creux**

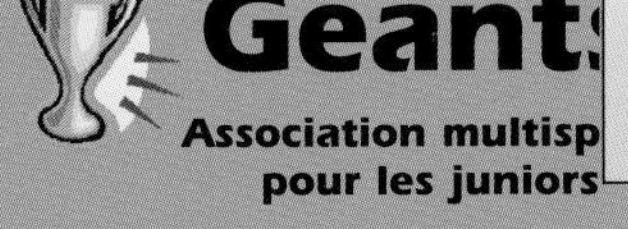

- Inscription gratuite pour tous les enfants de 5 à 15 ans
- Football, gymnastique, athlétisme et autres disciplines
- Compétitions au niveau local et national

Ajouter des images

Maintenant que tu t'es occupé du texte, tu vas pouvoir ajouter des images à ta présentation. Suis les instructions ci-dessous pour ajouter une image **Clip art** à ta diapositive de titre. Ne t'inquiète pas si l'image empiète sur le titre. Tu verras pages 16-17 comment déplacer les images et modifier leurs dimensions.

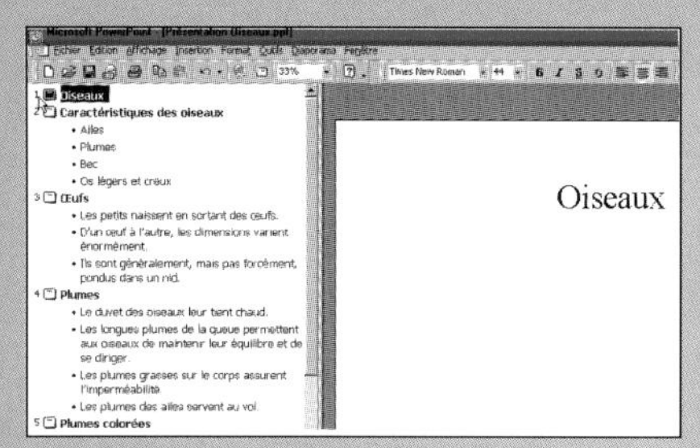

1. Clique sur la diapositive de titre, dans le volet Plan, pour la faire apparaître dans le volet Diapositive.

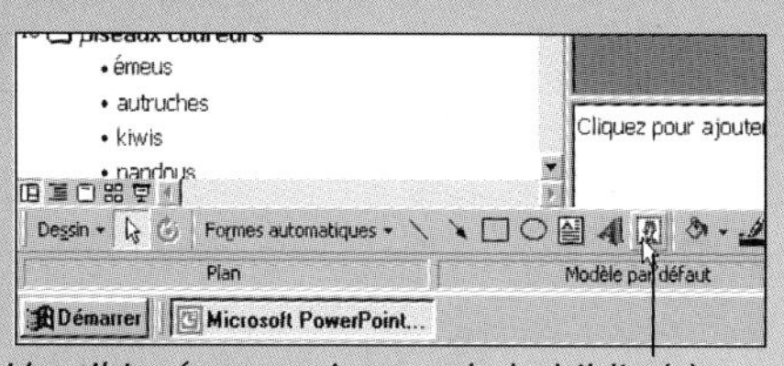

L'outil Insérer une image de la bibliothèque est dans la barre d'outils Dessin. Si celle-ci ne s'affiche pas, lis les conseils page 44.

2. Clique sur l'outil Insérer une image de la bibliothèque. Si un message dit que l'ordinateur doit charger des images, clique sur *OK*.

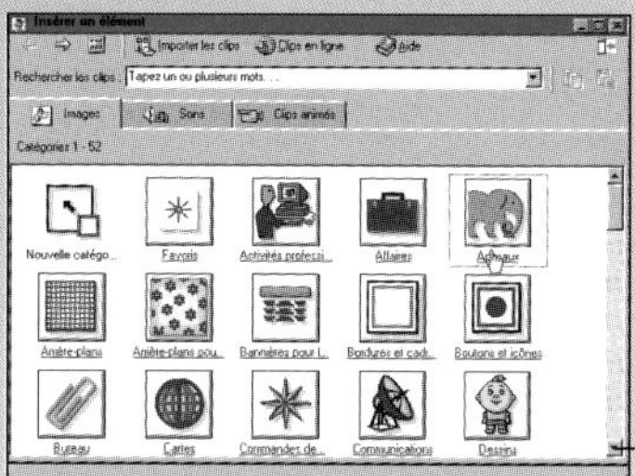

Pour voir le reste, clique sur cette flèche.

3. La boîte de dialogue Insérer un élément apparaît. Les images y sont classées par catégories. Clique sur la catégorie *Animaux*.

4. Une sélection d'images apparaît (voir ci-contre). Clique sur celle que tu souhaites ajouter à ta diapositive de titre.

5. Un menu s'ouvre automatiquement à côté de l'image. Clique sur l'outil Insérer le clip, en haut du menu.

6. Le menu disparaît. Clique maintenant sur la petite croix en haut dans le coin pour fermer la boîte de dialogue Insérer un élément.

Une sélection d'images de la catégorie Animaux

Clique ici pour revenir à l'ensemble des catégories.

Clique ici pour fermer la boîte de dialogue.

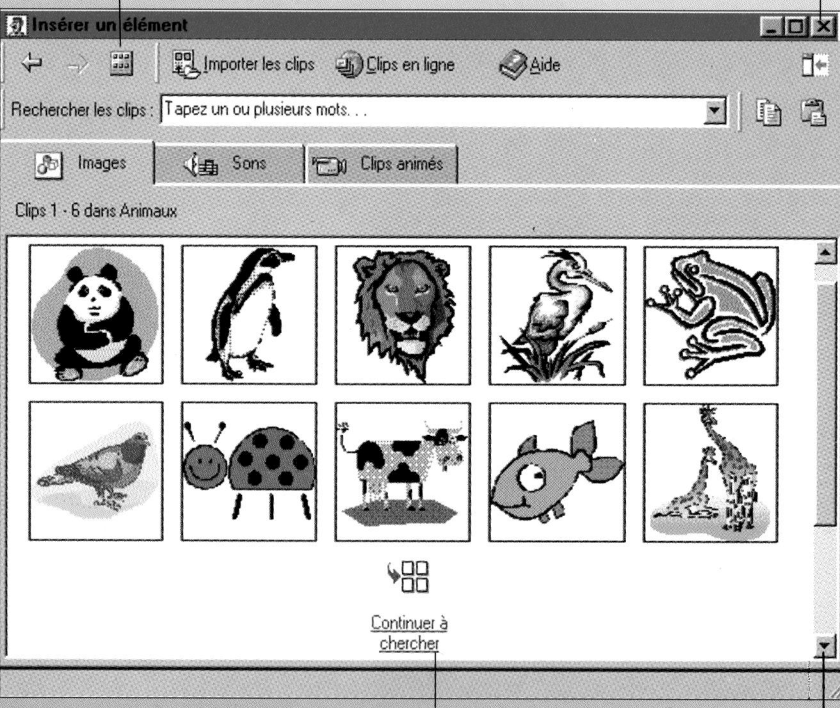

Clique ici pour voir les autres images de cette catégorie.

Clique ici pour voir le reste.

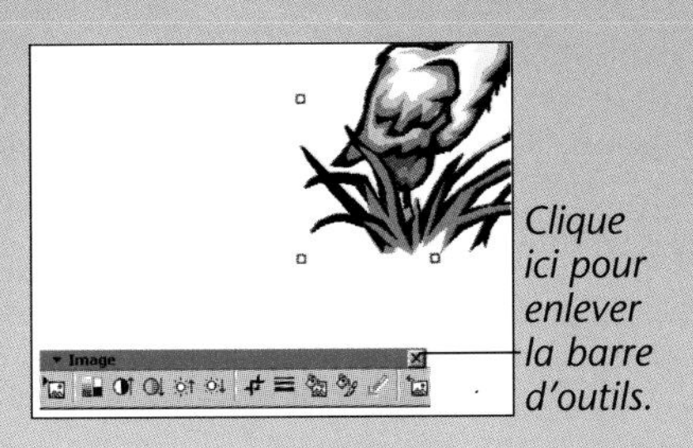

7. L'image apparaît maintenant sur ta diapositive. Si la barre d'outils Image apparaît elle aussi, ferme-la en cliquant sur la croix.

8. Si, finalement, l'image ne te plaît pas, appuie au clavier sur la touche Suppr. L'image va disparaître de la diapositive.

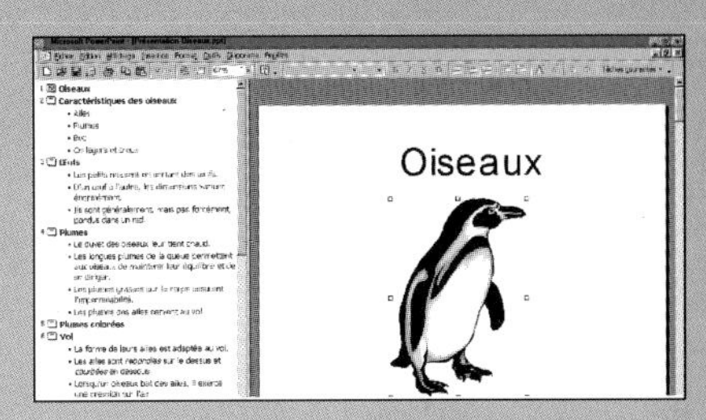

9. Choisis une nouvelle image et ajoute-la à ta diapositive. Tout autour, tu verras huit petits carrés que l'on appelle **poignées.**

10. Si tu es satisfait, clique en dehors du cadre de l'image pour faire disparaître les poignées. À présent, enregistre ton travail.

Tu ne peux supprimer une image que lorsqu'elle est entourée de ses poignées. Pour les faire réapparaître, il te suffit de cliquer sur l'image.

Les diapositives ci-dessous illustrent quelques possibilités d'utilisation des images Clip art.

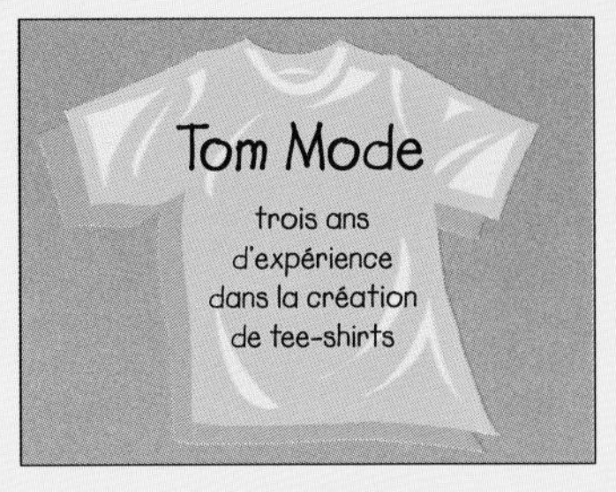

Diapositive de titre : l'image doit illustrer le thème de la présentation.

Combine les images et le texte pour susciter l'intérêt permanent du public.

Choisis des illustrations adaptées à l'âge de ton public.

Clip art sur CD-ROM

En essayant d'insérer une image Clip art, il est possible que tu obtiennes un message t'indiquant qu'elle est stockée sur le disque, ou **CD-ROM** d'installation de Microsoft® PowerPoint® 2000. Il te suffira alors de retrouver le CD-ROM en question et de suivre les étapes ci-dessous.

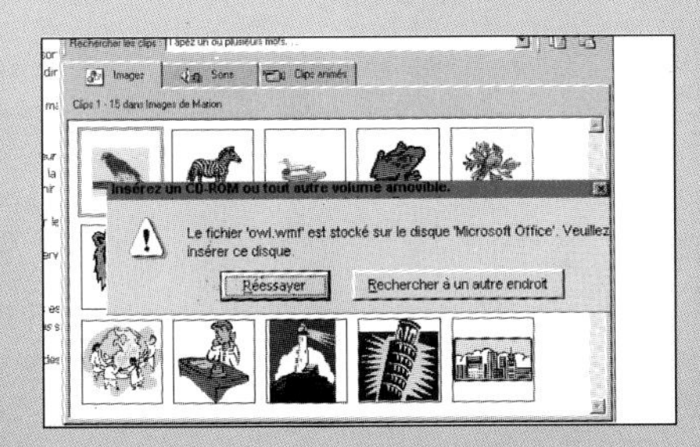

1. Si l'image se trouve sur le disque, tu obtiendras ce message. Mets le disque dans le lecteur CD-ROM.

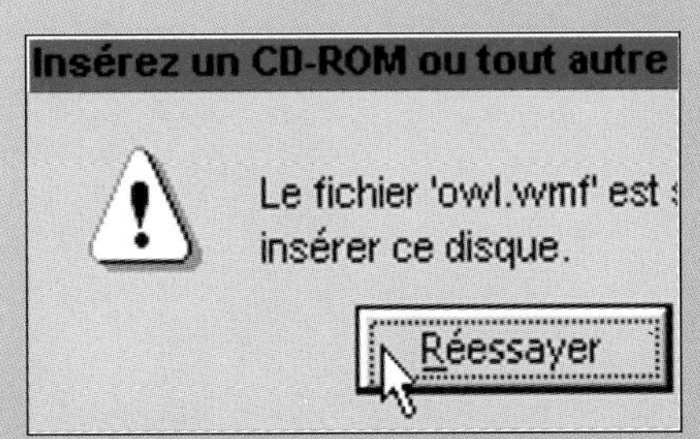

2. Lorsque le disque ne fait plus de bruit, clique sur *Réessayer*. Le message disparaît et l'image apparaît sur la diapositive.

Texte et images

Maintenant tu vas pouvoir ajouter des images au reste de ta présentation. Les images Clip art viennent automatiquement se placer au milieu de la diapositive, cachant parfois une partie du texte. Ce chapitre t'explique comment **redimensionner** les images et comment réorganiser texte et images pour obtenir une composition harmonieuse.

Modifier les dimensions d'une image

Pour ce faire, tu as recours à la technique du **cliquer-déplacer**. Cela signifie cliquer sur une image et maintenir le bouton gauche de la souris enfoncé tout en déplaçant le pointeur. Commence par ajouter une image à ta deuxième diapositive.

1. Clique n'importe où sur l'image pour la **sélectionner**. Huit poignées apparaissent tout autour. Amène le pointeur sur une poignée d'angle.

2. Clique et maintiens le bouton de la souris enfoncé. Puis, fais glisser le pointeur vers l'intérieur de l'image pour la rétrécir ou vers l'extérieur pour l'agrandir.

3. Au cours de l'opération, un cadre en pointillé matérialise la taille finale de l'image.

4. Relâche le bouton de la souris. L'image prend alors la taille que tu lui as donnée.

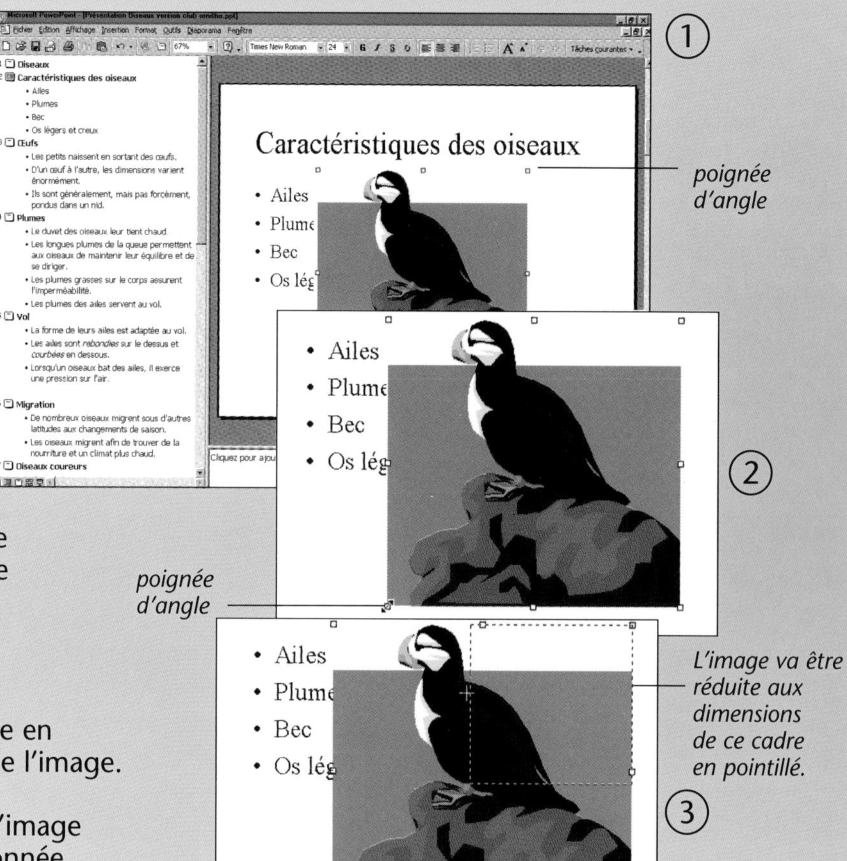

L'image prend alors la taille voulue.

Pour modifier les dimensions d'une image, clique bien sur une poignée d'angle et non sur l'une des poignées latérales. L'image risque sinon de finir écrasée, comme celles-ci.

Déplacer une image

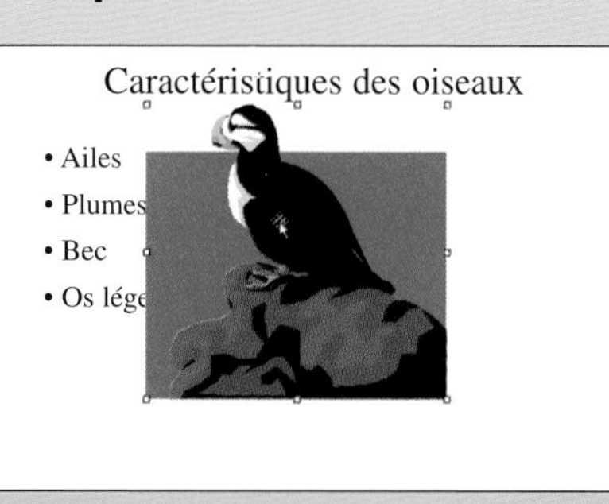

1. Place le pointeur n'importe où sur l'image et clique pour la sélectionner. Maintiens le bouton de la souris enfoncé.

2. Fais glisser le pointeur vers l'emplacement voulu. Un cadre en pointillé signale l'emplacement de destination.

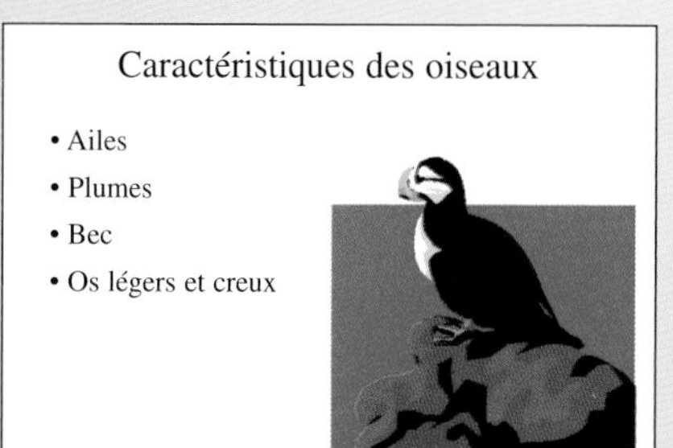

3. Relâche le bouton de la souris. L'image vient se placer à l'endroit voulu. À présent, enregistre ton travail.

Zones de texte

Les zones de texte et les en-têtes ont eux aussi des poignées. Tu peux les déplacer et les redimensionner exactement comme des images. Il te suffit de cliquer-déplacer.

1. Clique sur un mot. Un contour hachuré doté de huit poignées apparaît tout autour de la zone de texte.

2. Clique sur l'une des poignées et déplace-la pour modifier la forme ou la taille de la zone de texte.

3. Pour déplacer la zone de texte, clique sur le contour et déplace-le vers sa nouvelle position.

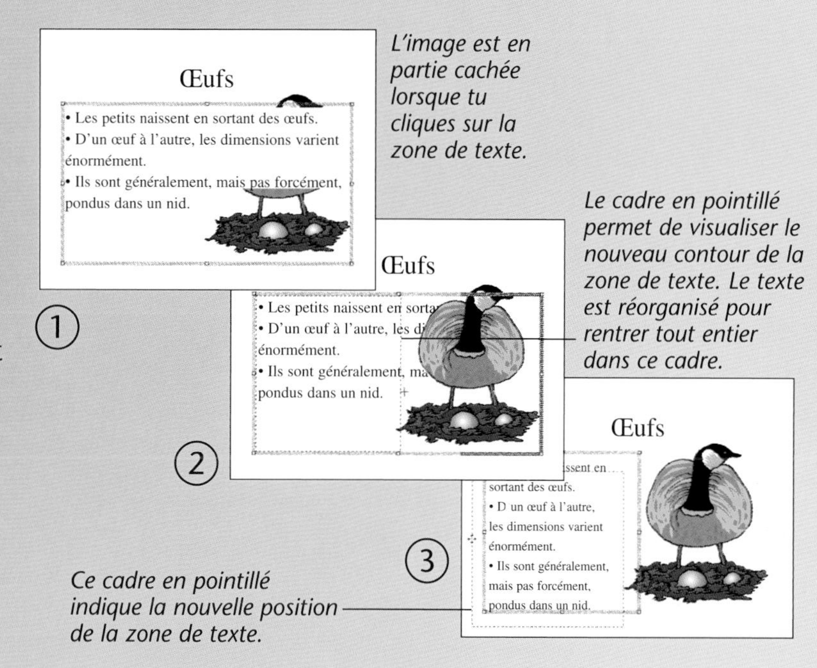

L'image est en partie cachée lorsque tu cliques sur la zone de texte.

Le cadre en pointillé permet de visualiser le nouveau contour de la zone de texte. Le texte est réorganisé pour rentrer tout entier dans ce cadre.

Ce cadre en pointillé indique la nouvelle position de la zone de texte.

Évite :

d'ajouter des images qui dissimulent le texte ou qui ne sont pas adaptées à celui-ci. Mal choisies, les images risquent de gêner les personnes qui assistent à ta présentation.

Sur cette diapositive, les images chevauchent le texte et n'ont aucun rapport avec le contenu.

N'hésite pas :

à employer des images aux couleurs vives. Les diapositives qui contiennent peu de texte susciteront davantage d'intérêt si elles sont illustrées avec soin.

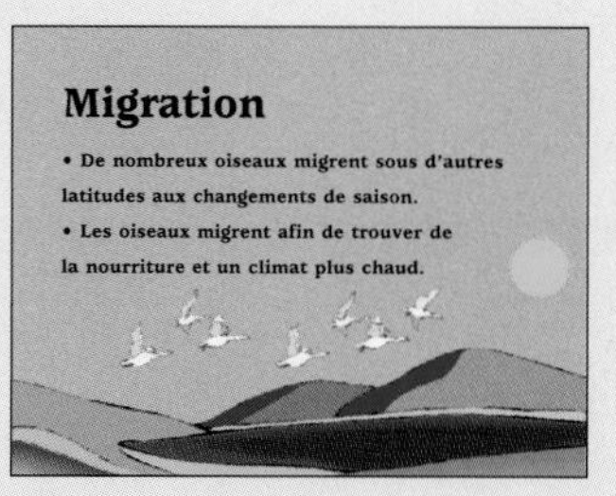

Les pages 26-27 t'indiquent comment modifier le style des caractères de tes diapositives.

Ajouter ses propres images

Dans tes présentations, tu peux intégrer des Clip arts, et aussi tes propres images. Il peut s'agir d'images que tu as créées à l'aide d'un logiciel de dessin, tel Microsoft® Paint, ou de divers dessins et photographies que tu as scannés. Pour pouvoir les retrouver facilement, enregistre bien toutes tes images dans le dossier que tu as créé auparavant dans Mes documents.

Voici quelques exemples de différents types d'images que tu peux intégrer à tes diapositives.

Ces images ont été créées sur ordinateur avec Microsoft® Paint.

Tu peux aussi illustrer tes diapositives avec des photos et dessins scannés sur ordinateur.

Une nouvelle catégorie

Pour ajouter tes propres images à ta présentation, tu vas devoir les transférer de ton dossier vers PowerPoint. Cela s'appelle **importer**. Pour importer tes images, tu dois créer ta propre catégorie d'images dans la boîte de dialogue Insérer un élément.

1. Clique sur l'outil Insérer une image de la bibliothèque, au bas de l'écran. Dans la boîte de dialogue Insérer un élément, clique sur *Nouvelle catégorie.*

2. La boîte de dialogue Nouvelle catégorie s'ouvre automatiquement. Clique dans la case blanche et inscris le nom de ta catégorie. Clique sur *OK.*

Catégories classées en ordre alphabétique.

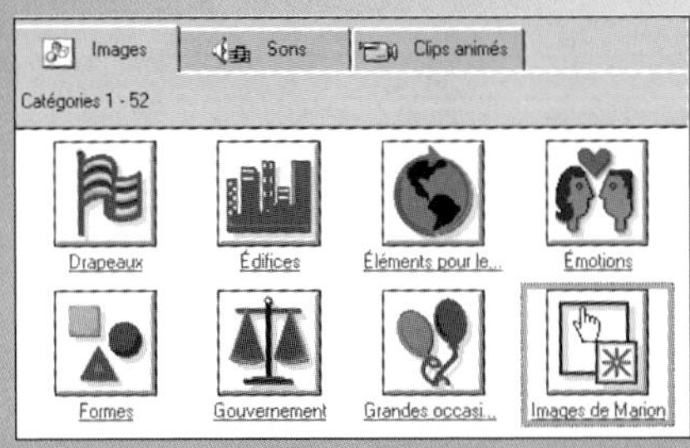

3. Ta nouvelle catégorie d'images apparaît maintenant au milieu des autres catégories. Clique dessus.

Clique ici pour importer tes images.

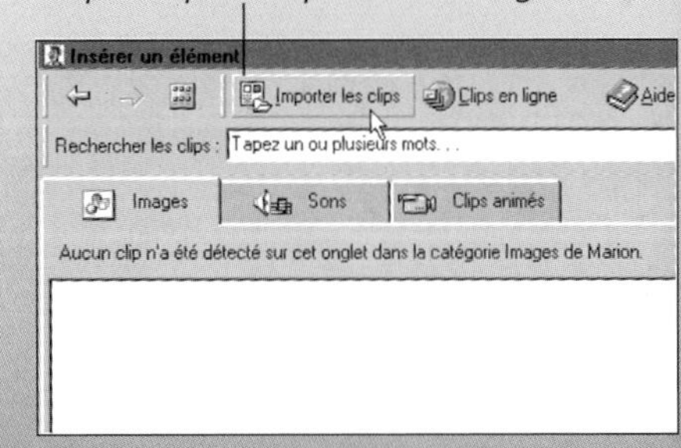

4. Tu obtiens une zone vide et un message te signalant qu'aucun clip n'a été détecté. Clique sur *Importer les clips.*

Clique ici pour retrouver Mes documents.

5. Une boîte de dialogue apparaît ; clique sur la flèche près de sa bordure supérieure. Dans la liste qui apparaît, clique sur *Mes documents*.

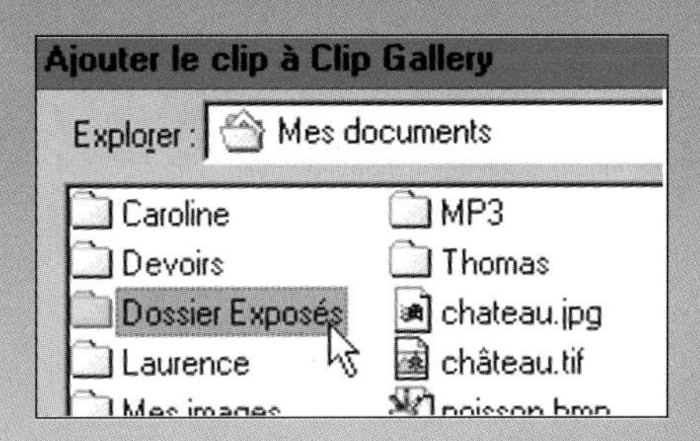

6. Mes documents s'inscrit dans la case du haut et ton dossier apparaît dans l'espace en dessous. Clique deux fois sur ton dossier.

7. Tu obtiens une liste de toutes les images contenues dans ton dossier. Clique sur le nom de l'image de ton choix, puis sur *Importer*.

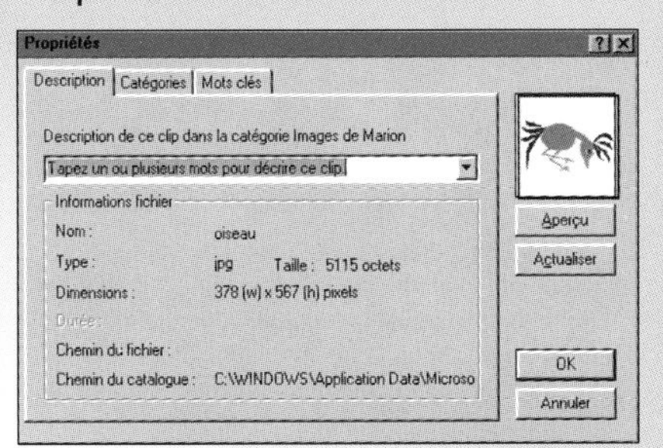

8. La boîte de dialogue Propriétés apparaît. Appuie sur la touche Retour arrière pour effacer les mots inscrits dans la case Description.

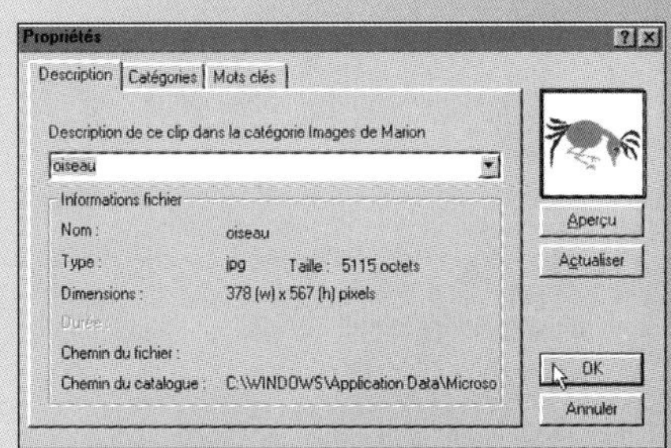

9. Inscris maintenant le nom de ton image dans la case Description de la boîte de dialogue Propriétés et clique sur *OK*.

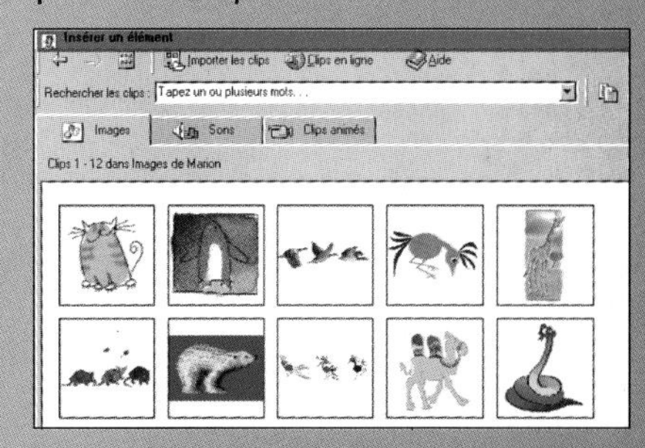

10. L'image apparaît dans la boîte de dialogue Insérer un élément. Procède de même avec les autres images à intégrer dans ta catégorie.

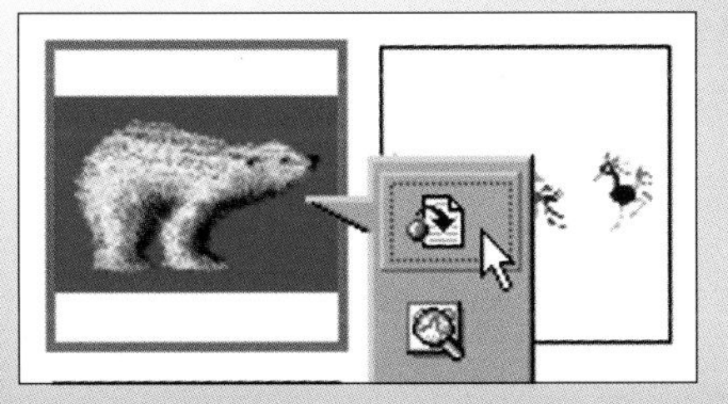

11. Tu peux à présent ajouter une image de ta catégorie sur une diapositive. Déplace-la et redimensionne-la comme tout Clip art.

Tu as intérêt à créer une nouvelle catégorie d'images à chaque fois que tu fais une nouvelle présentation.

Les images de ta catégorie peuvent être intégrées dans n'importe quelle présentation.

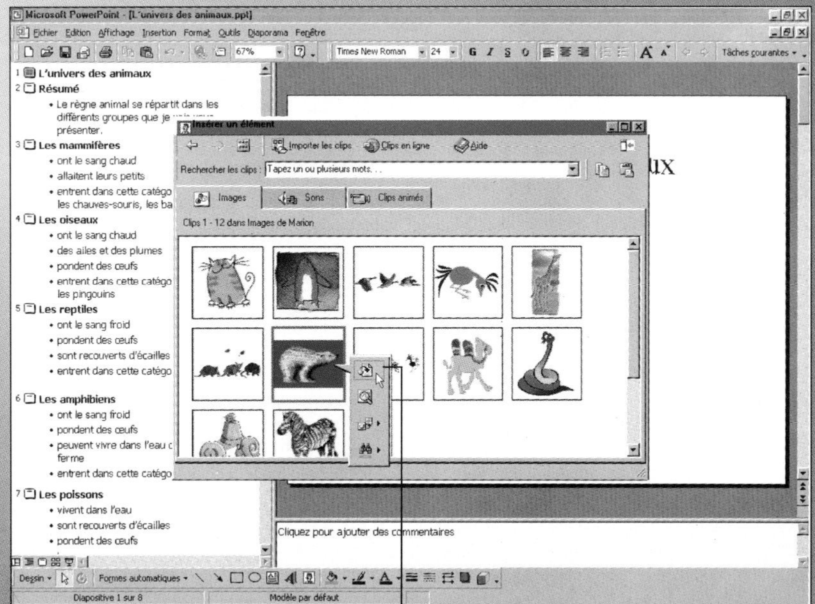

Clique ici pour ajouter ton image sur cette diapositive.

Ajouter des formes

Pour égayer ta présentation, tu peux aussi utiliser des formes colorées qui décoreront tes diapositives. Tu devras, à cet effet, utiliser les outils de la barre d'outils Dessin. Si celle-ci n'est pas visible, lis les conseils en page 44.

Clique ici si Étoiles et bannières n'apparaît pas.

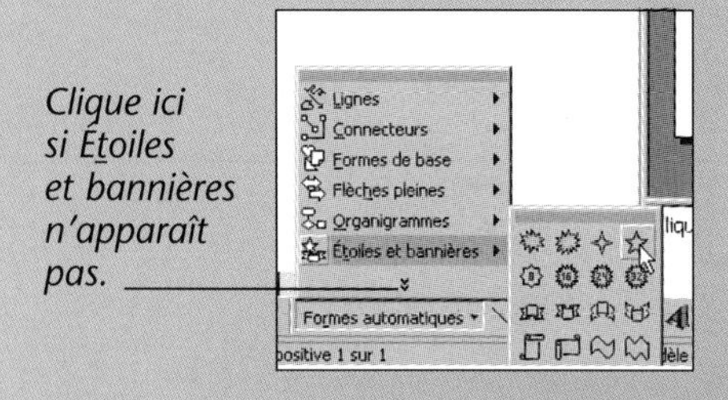

L'étoile apparaît à mesure que tu fais glisser le pointeur.

pointeur

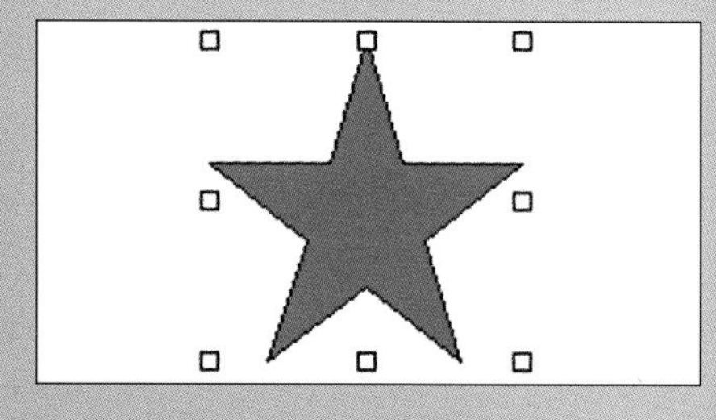

1. Clique sur la diapositive à décorer, puis sur *Formes automatiques*. Un menu se déroule. Clique sur *Étoiles et bannières*, puis sur une forme d'étoile.

2. Amène le pointeur dans le volet Diapositive. Clique et déplace le pointeur pour faire apparaître l'étoile aux dimensions voulues sur la diapositive.

3. Relâche le bouton de la souris. L'étoile apparaît sur la diapositive. Il y a huit poignées tout autour et l'intérieur peut être coloré.

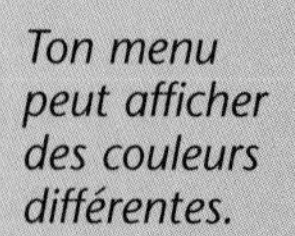

Ton menu peut afficher des couleurs différentes.

L'outil Couleur de remplissage ressemble à un pot de peinture.

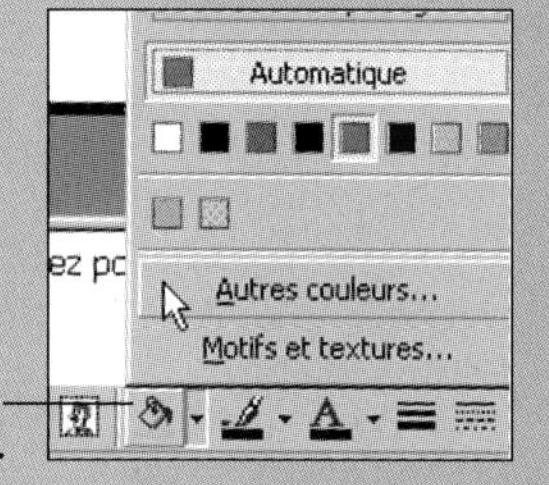

Lorsque tu cliques sur un des hexagones, un contour blanc apparaît.

Aperçu de la nouvelle couleur que tu as choisie.

Cette lune provient des Formes de base du menu Formes automatiques.

4. Pour changer de couleur, clique sur la flèche de l'outil Couleur de remplissage. Un menu contenant quelques couleurs apparaît. Clique sur *Autres couleurs*.

5. La boîte de dialogue Couleurs s'ouvre. Choisis un hexagone de couleur, clique dessus et sur *OK*. La boîte de dialogue disparaît et l'étoile change de couleur.

6. Tu peux maintenant, en procédant de la même façon, dessiner et colorer d'autres formes du menu Formes automatiques.

Ces diapositives de titre ont été décorées à l'aide de formes du menu Formes automatiques.

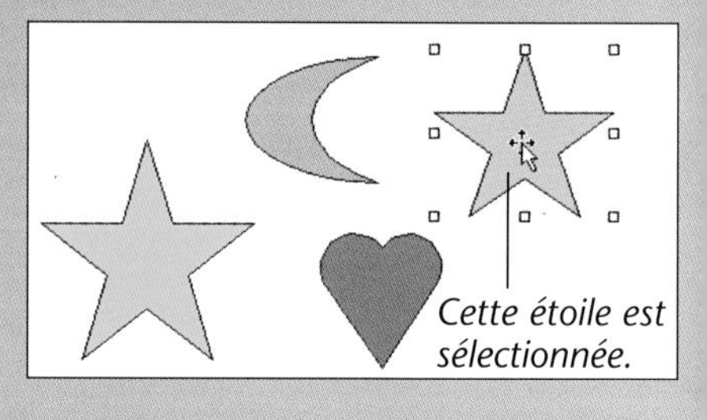

Cette étoile est sélectionnée.

7. Sélectionne une forme en cliquant dessus. Sélectionnée, une forme peut être supprimée, déplacée ou redimensionnée, comme n'importe quelle image.

Ajouter d'autres zones de texte

Il peut y avoir plusieurs zones de texte sur une diapositive. Cela te permet de mettre une légende à tes images ou d'inscrire une réplique dans une bulle. Ce chapitre te montre comment procéder.

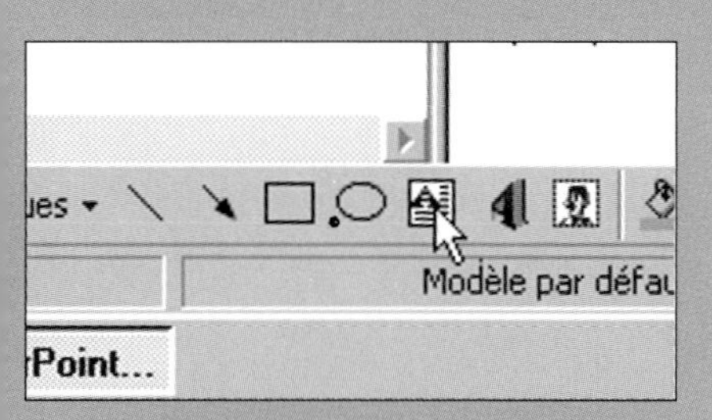

1. Pour créer une zone de texte simple, clique sur l'outil Zone de texte de la barre d'outils Dessin dans la bordure inférieure de l'écran.

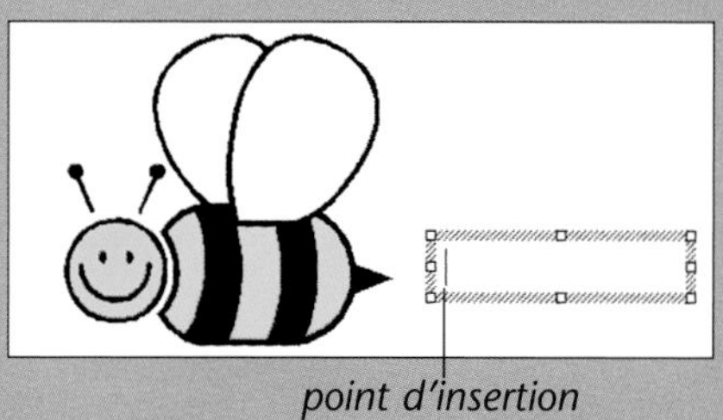

point d'insertion

2. Clique et déplace le pointeur sur la diapositive pour créer la zone de texte. Relâche le bouton de la souris. Le point d'insertion apparaît dans le cadre.

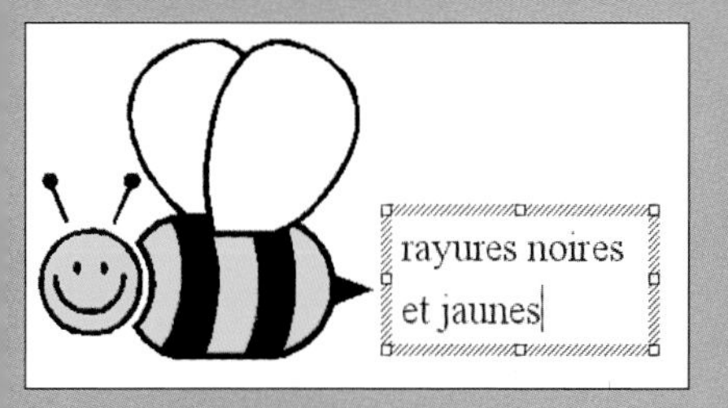

3. Inscris quelques mots. Le cadre s'agrandit à chaque nouvelle ligne. Comme n'importe quelle autre zone de texte, tu peux la déplacer et la redimensionner.

Clique sur ces flèches si Bulles et légendes n'est pas dans le menu Formes automatiques.

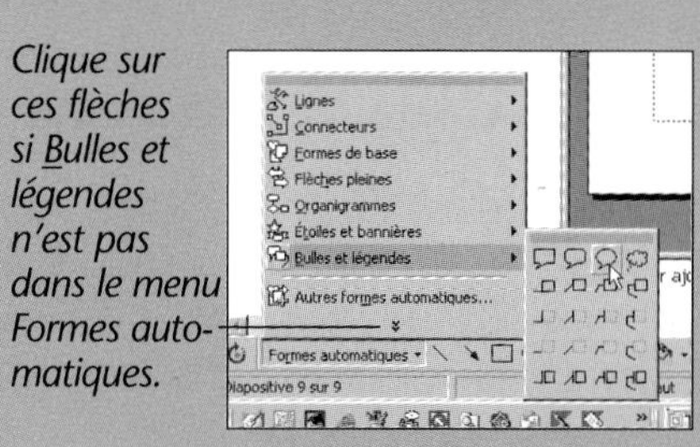

4. Pour créer une bulle, clique sur *Formes automatiques*, puis sur *Bulles et légendes* et sur une des formes. Trace-la sur la diapositive en utilisant le cliquer-déplacer.

Voici des exemples de diapositives avec plusieurs zones de texte et des bulles.

Une zone de texte pour légender chaque dessin.

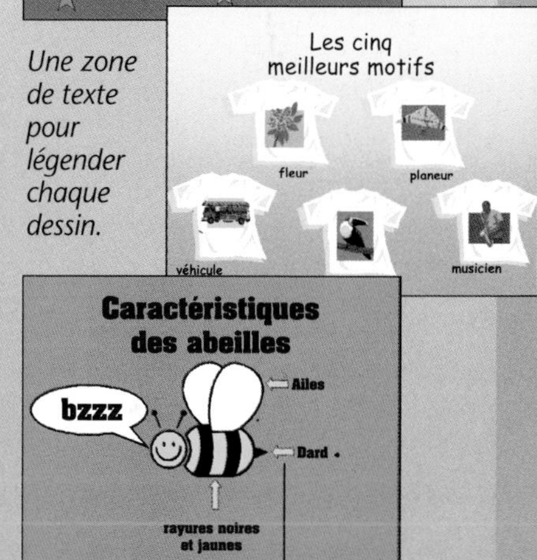

Ces flèches proviennent du menu Formes automatiques.

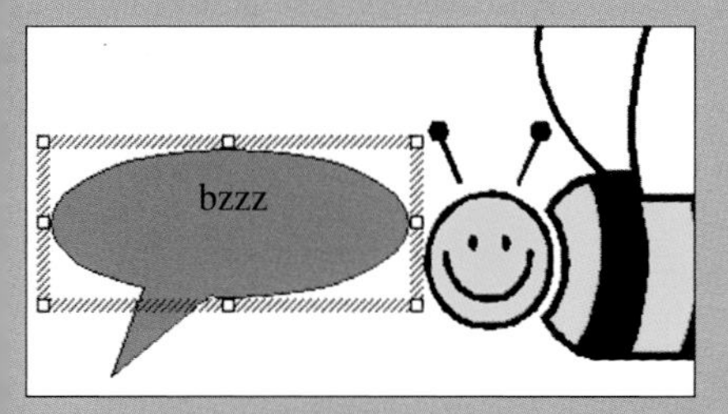

5. Le point d'insertion clignote au milieu de la bulle. Inscris la réplique, puis utilise l'outil Couleur de remplissage pour obtenir un fond blanc.

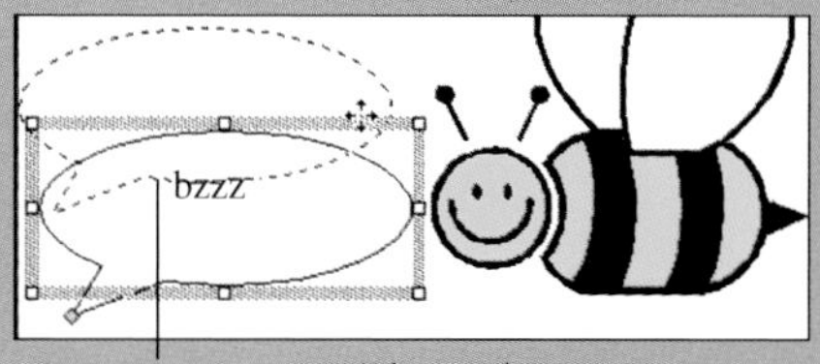

Un trait en pointillé matérialise la nouvelle position de la bulle.

6. Clique sur la bulle, à l'écart du texte. Tout en maintenant le bouton de la souris enfoncé, fais glisser le pointeur pour déplacer la bulle.

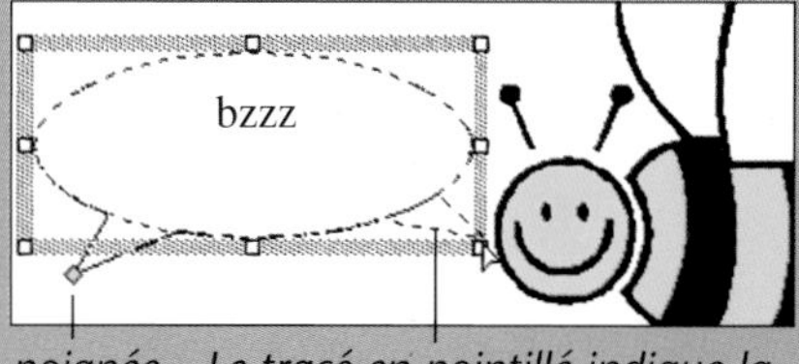

poignée jaune

Le tracé en pointillé indique la nouvelle position de la pointe.

7. Pour que la bulle pointe dans la bonne direction, clique sur la poignée jaune et fais-la glisser à l'endroit voulu. À présent, enregistre.

Ajouter un tableau

Si tu as besoin d'intégrer à ta présentation un emploi du temps ou des statistiques, les tableaux offrent un moyen efficace de transmettre aisément ce genre d'informations à ton assistance. Ce chapitre t'explique comment ajouter un tableau et son titre à une diapositive.

Ces deux diapositives présentent exactement les mêmes informations. Le tableau est plus parlant.

Médailles remportées cette saison

- C'est Maude qui a remporté le plus de médailles d'or. 3 fois médaille d'or, elle a aussi eu 2 médailles d'argent et 1 de bronze.
- Ben, notre petit nouveau, a gagné 1 médaille d'or, 1 d'argent et 2 de bronze.
- Marion a gagné 6 médailles en tout : 2 en or, 3 en argent et 1 en bronze
- Isaac, notre champion 2002, a remporté 1 médaille d'or, 1 de bronze et 4 d'argent.

Médailles remportées cette saison

Médaille	Maude	Ben	Marion	Isaac
or	3	1	2	1
argent	2	1	3	4
bronze	1	2	1	1

Ce tableau est composé de 5 colonnes et de 4 lignes, sachant que la première colonne et la ligne du haut contiennent les en-têtes.

Évite de mettre trop d'informations dans un tableau ; la simplicité est de règle.

QUELQUES PIONNIERS DE L'ESPACE

ANNÉE	PREMIER/PREMIÈRE...
1957	CHIEN DANS L'ESPACE : LAÏKA
1961	HOMME DANS L'ESPACE : IOURI GAGARINE
1963	FEMME DANS L'ESPACE : V. TERESHKOVA
1965	SORTIE DANS L'ESPACE : ALEXEÏ LEONOV
1966	ALUNISSAGE : LUNA 9
1969	PAS SUR LA LUNE : NEIL ARMSTRONG

Il vaut mieux commencer par faire un plan sur papier pour déterminer le nombre de lignes et de colonnes de ton tableau.

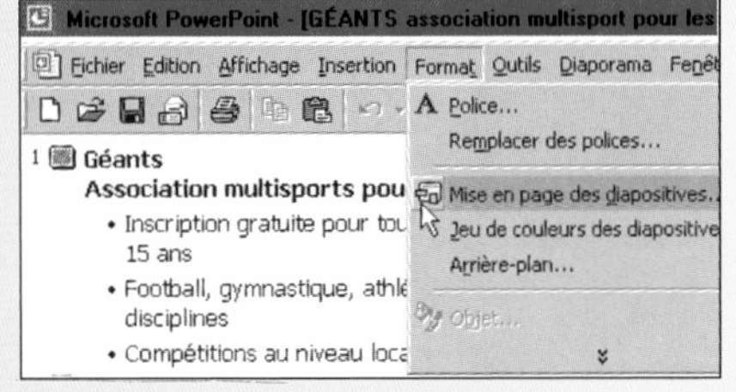

1. Clique sur la diapositive sur laquelle va figurer le tableau. Amène le pointeur vers la barre de menus, clique sur *Format* et sur *Mise en page des diapositives*.

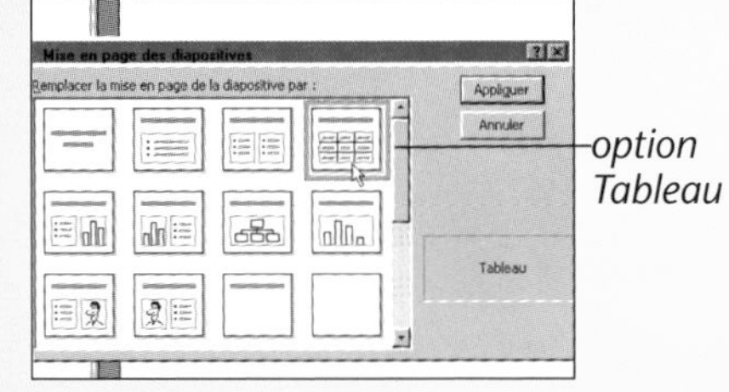

option Tableau

2. La boîte de dialogue Mise en page des diapositives s'ouvre. Clique sur l'option Tableau dans le coin supérieur droit de la boîte de dialogue, puis sur *Appliquer*.

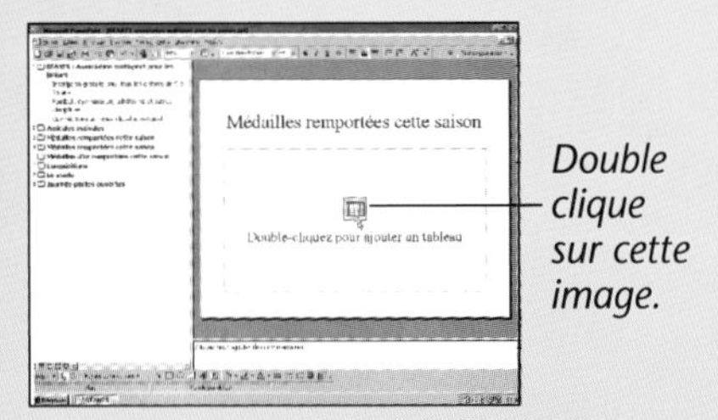

Double clique sur cette image.

3. Un tableau miniature apparaît sur la diapositive. Place le pointeur dessus et clique rapidement deux fois de suite. Cela s'appelle **double-cliquer**.

Le nombre de colonnes apparaît ici.

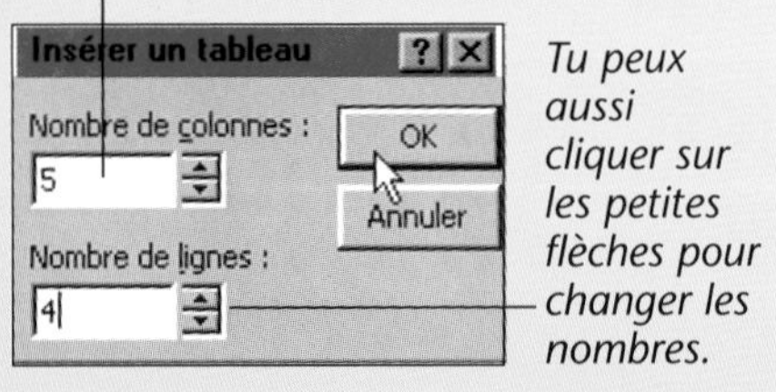

Tu peux aussi cliquer sur les petites flèches pour changer les nombres.

4. La boîte de dialogue Insérer un tableau s'ouvre. Inscris le nombre de colonnes verticales nécessaires. Appuie sur la touche Tabulation, puis inscris le nombre de lignes horizontales.

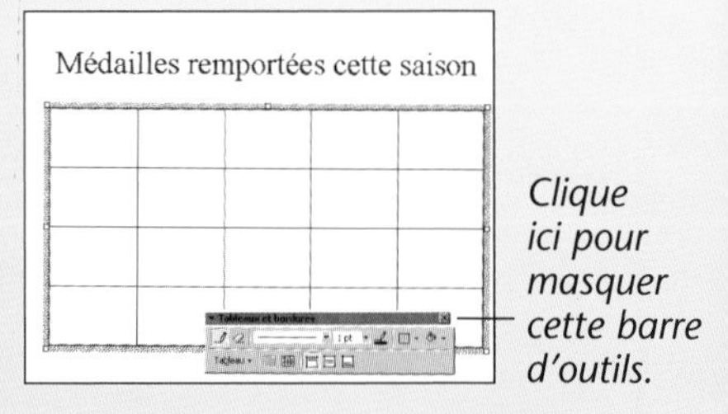

Clique ici pour masquer cette barre d'outils.

5. Clique sur *OK*. Le tableau apparaît sur ta diapositive. Si la barre d'outils Tableaux et bordures apparaît elle aussi, masque-la en cliquant sur la croix dans le coin à droite.

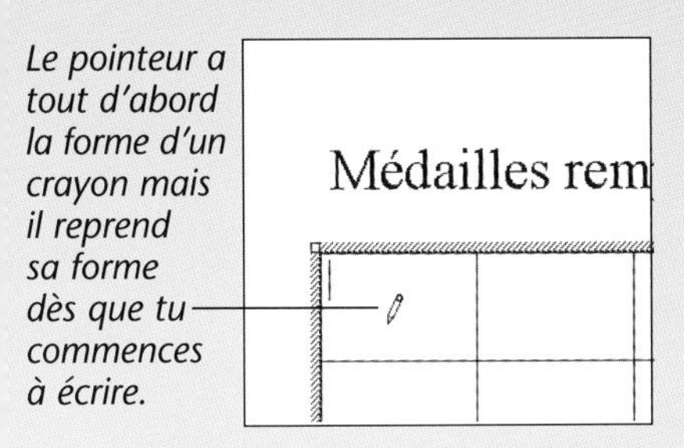

Le pointeur a tout d'abord la forme d'un crayon mais il reprend sa forme dès que tu commences à écrire.

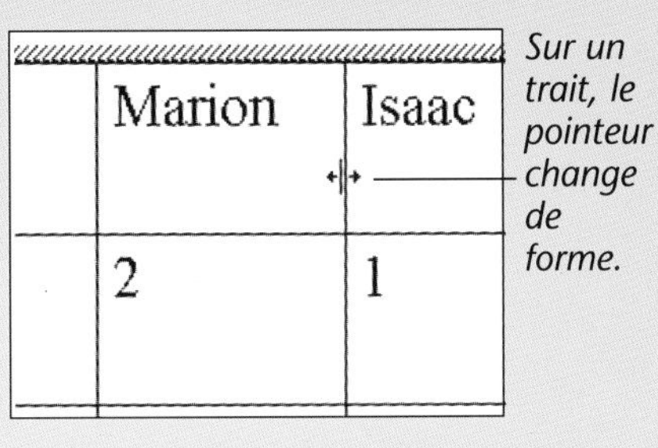

Sur un trait, le pointeur change de forme.

6. Le point d'insertion est dans la première case. Inscris l'en-tête de cette colonne, puis clique dans la case suivante pour saisir les données, et ainsi de suite dans chaque case du tableau.

7. Pour adapter la largeur d'une colonne, si le mot est trop long, clique sur un trait vertical et fais glisser le pointeur vers l'extérieur. À présent, enregistre.

Colorer un tableau

Tu peux ajouter de la couleur au tableau que tu viens de créer en utilisant l'outil Couleur de remplissage, près de la bordure inférieure de l'écran. Tu feras ainsi ressortir les informations.

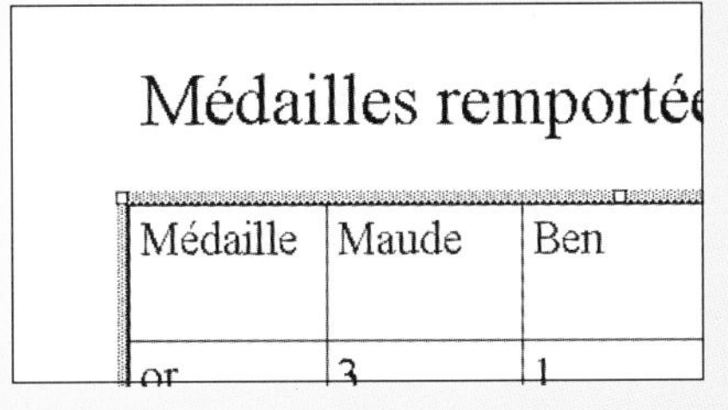

1. Si tu souhaites colorer le fond du tableau, clique sur la bordure extérieure. Le contour hachuré se transforme alors en une ligne grise.

2. Clique sur la flèche de l'outil Couleur de remplissage, puis sur *Autres couleurs*. La boîte de dialogue Couleurs apparaît. Clique sur une couleur et sur *OK*.

Médailles remportées cette saison

Médaille	Maude	Ben	Marion	Isaac
or	3	1	2	1
argent	2	1	3	4

3. Pour changer la couleur d'une ligne en particulier, clique sur la première case de cette ligne et fais glisser le pointeur jusqu'à l'autre bout. Une bande sombre recouvre alors la ligne.

Médailles remportées cette saison

Médaille	Maude	Ben	Marion	Isaac
or	3	1	2	1
argent	2	1	3	4

4. Comme précédemment, utilise l'outil Couleur de remplissage. La ligne change de couleur. Enregistre. Tu peux, de même, modifier la couleur des colonnes.

Il vaut mieux éviter les couleurs trop sombres, car cela rend le texte difficile à lire.

Planning des cours

	lundi	mardi	mercredi	jeudi	vendredi
danse	Paul		Paul	Chloé	Laure
yoga	Chloé	Laure		Laure	Luc
step	Laure	Paul	Luc		Chloé
gym	Luc		Chloé	Luc	Paul

Nos signes astrologiques

Nom	Anniversaire	Signe
Corinne	10 octobre	balance
Max	1er avril	bélier
Jean	20 août	lion
Louis	2 juin	gémeaux
Nina	30 janvier	verseau

Planning des activités

Jour	matin	après-midi
lundi	arrivée à Rome	Piazza Navona
mardi	le Forum	Circus Maximus
mercredi	Muséum national	le Colisée
jeudi	le Vatican	chapelle Sixtine
vendredi	Luna park	retour

Les pages 28-29 t'expliquent comment ajouter à ta diapositive un arrière-plan de couleur ou à texture.

Ajouter un diagramme en colonnes

Un diagramme en colonnes permet de présenter, avec plus de dynamisme, les mêmes informations qu'un tableau. Facile à créer sous PowerPoint, il apparaît instantanément sur la diapositive à mesure que tu inscris les informations dans un tableau appelé **feuille de données.**

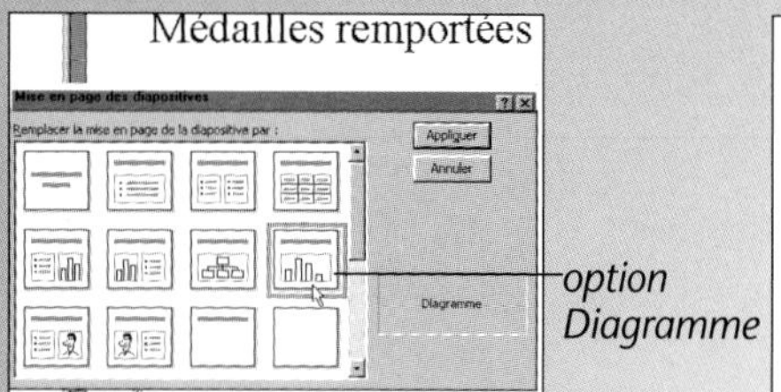

option Diagramme

diagramme en colonnes

feuille de données

Essaie de limiter la quantité d'informations par diapositive. Sinon, le public n'aura probablement pas le temps de tout lire.

1. Ouvre ta diapositive. Clique sur *Format*, puis sur *Mise en page de la diapositive*. Dans la boîte de dialogue, clique sur l'option Diagramme, puis sur *Appliquer*.

2. Double-clique sur l'image de diagramme qui apparaît. Un modèle de diagramme en colonnes et une feuille de données apparaissent, offrant deux aperçus des mêmes informations.

Le pointeur se transforme en croix.

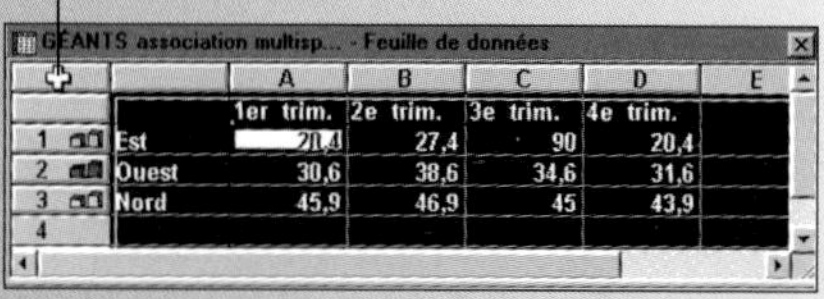
GÉANTS association multisp... - Feuille de données

		A	B	C	D	E
		1er trim.	2e trim.	3e trim.	4e trim.	
1	Est	20,4	27,4	90	20,4	
2	Ouest	30,6	38,6	34,6	31,6	
3	Nord	45,9	46,9	45	43,9	
4						

Lorsque tu cliques, la feuille de données devient noire.

3. Pour effacer les données du modèle, clique sur la case grise dans le coin supérieur gauche de la feuille de données. Appuie au clavier sur la touche Suppr.

Lorsque tu cliques sur une case blanche, un contour sombre apparaît.

Clique sur ces flèches pour voir d'autres cases.

Les premières ligne et colonne de la feuille de données contiennent les en-têtes, les autres les valeurs numériques.

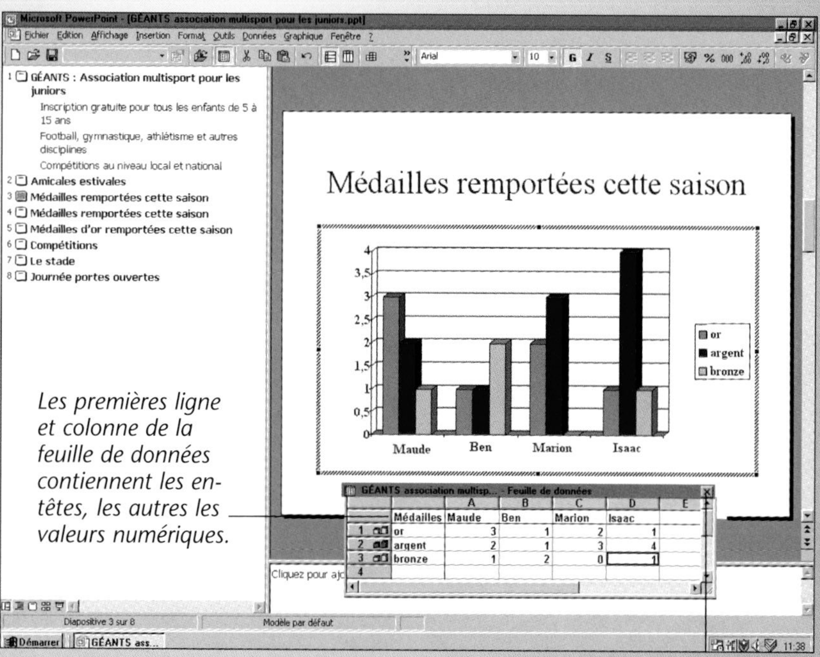

GÉANTS association multisp... - Feuille de données

		A	B	C	D	E
	Médailles	Maude	Ben	Marion	Isaac	
1	or	3	1	2	1	
2	argent	2	1	3	4	
3	bronze	1	2	0	1	
4						

Pour fermer la feuille de données, clique sur la croix en haut à droite.

4. Une fois les données effacées, clique sur la première case noire. La feuille de données redevient blanche. Inscris alors l'en-tête de la colonne, puis clique sur la case suivante.

5. Inscris les autres en-têtes ainsi que les valeurs. Au fur et à mesure, le diagramme se forme au-dessus de la feuille de données. À la fin, ferme la feuille de données.

6. Le diagramme, entouré de huit poignées, reste à l'écran. Si tu cliques dans un coin de la diapositive, les poignées disparaissent. Enregistre tout de suite ton travail.

Modifier un diagramme

Après avoir créé un diagramme, tu as plusieurs moyens d'en modifier l'apparence. Tu pourras ainsi corriger les valeurs, en ajouter ou encore changer de couleurs. Les instructions suivantes t'indiquent comment faire.

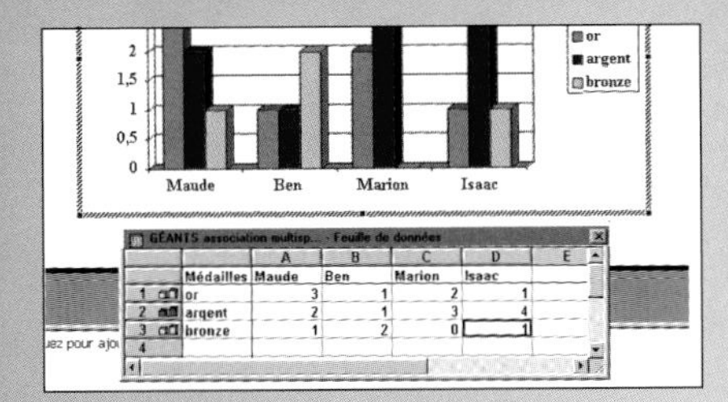

1. Si tu veux corriger ou ajouter des valeurs, double-clique sur le diagramme pour faire réapparaître la feuille de données.

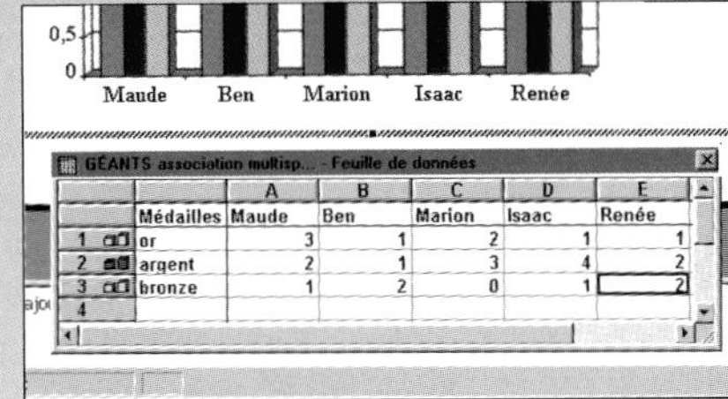

2. Si elle n'apparaît pas, clique sur *Affichage* dans la barre de menus, puis sur *Feuille de données*. Clique sur la case concernée et saisis tes modifications. Appuie sur Entrée.

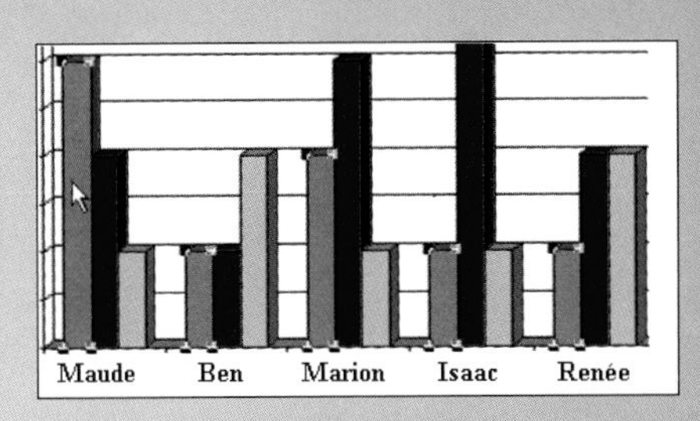

3. Pour modifier une couleur, clique sur une colonne. Vérifie que chaque colonne de cette couleur est bien entourée de quatre poignées. Double-clique.

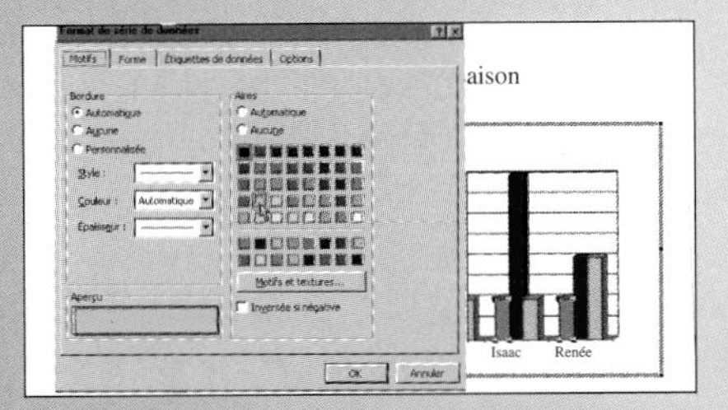

4. La boîte de dialogue Format de série de données s'ouvre. Clique sur une case de couleur et sur *OK*. Les colonnes sélectionnées prennent la couleur choisie.

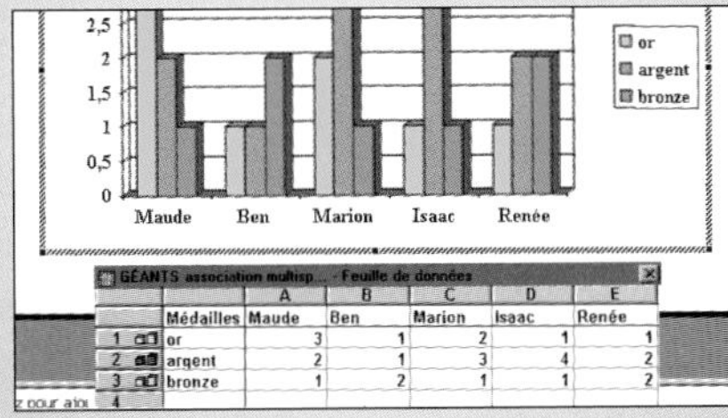

5. Lorsque tu es satisfait des modifications apportées au diagramme, clique sur la feuille de données pour la fermer et enregistre ta présentation.

Pour déplacer le diagramme sur la diapositive, clique dessus et fais-le glisser.

Utilise des couleurs vives pour bien faire ressortir les informations.

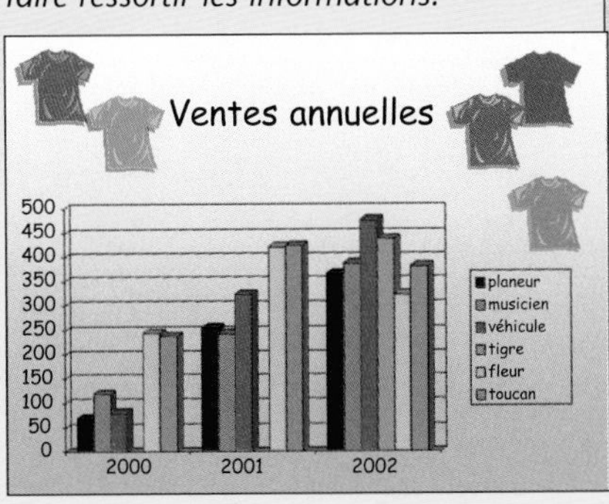

Les spécialités italiennes que nous avons dégustées

Sarah
Charles
Jacques
Annick
Samuel
Pilou

pizza pâtes salami glace

Utilise des images pour illustrer tes diagrammes.

Les pages 28-29 t'expliquent comment ajouter des arrière-plans à tes diapositives

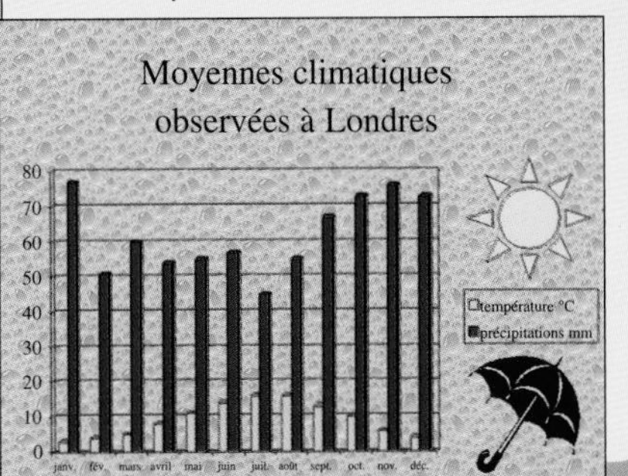

Modifier caractères et puces

Sur tes diapositives, les mots s'inscrivent automatiquement en caractères neutres, mais tu peux facilement modifier leur apparence en utilisant les différents outils de la bordure supérieure de l'écran. S'ils ne sont pas visibles, consulte la page 44.

Sélectionner le texte

Tu dois sélectionner le texte avant de pouvoir en modifier l'apparence. Tu peux utiliser le cliquer-déplacer pour sélectionner un mot ou un groupe de mots. En sélectionnant toute une zone de texte la moindre modification s'appliquera à tous les éléments.

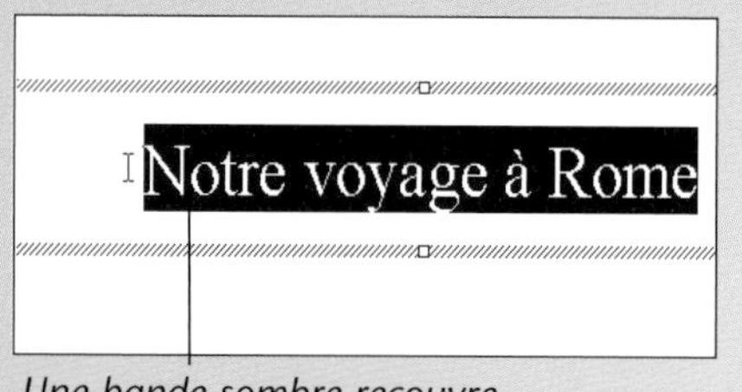

Une bande sombre recouvre les mots sélectionnés.

1. Pour sélectionner un mot ou plusieurs, clique à gauche de la première lettre et fais glisser le pointeur jusqu'à l'autre bout.

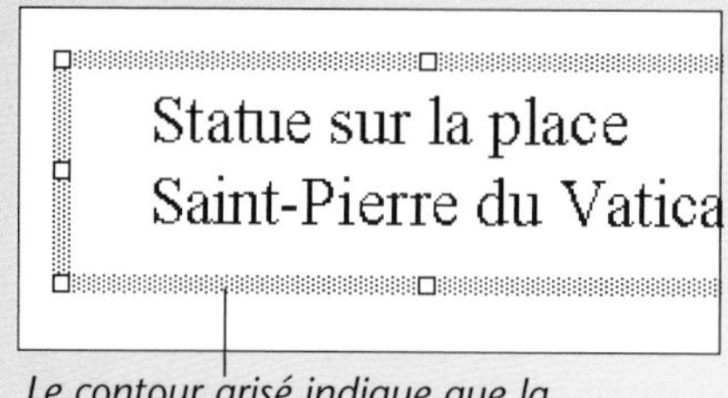

Le contour grisé indique que la zone de texte est sélectionnée.

2. Pour sélectionner toute une zone de texte, clique sur un mot à l'intérieur de celle-ci tout en appuyant sur la touche Maj.

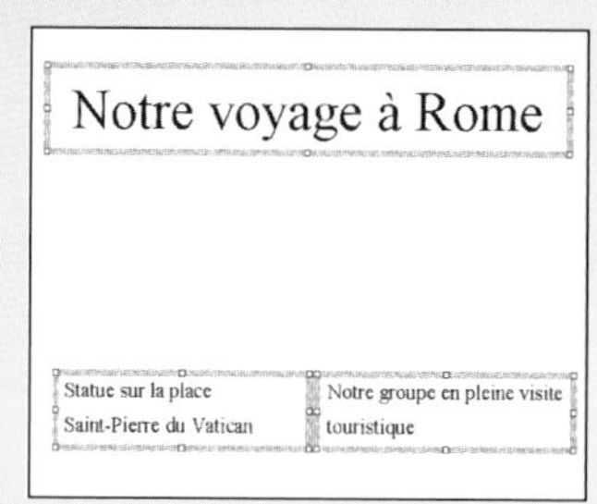

Toutes les zones de texte de cette diapositive sont sélectionnées

3. Pour sélectionner plusieurs zones de texte à la fois, clique sur un mot dans chacune tout en appuyant sur la touche Maj.

Caractères fantaisie

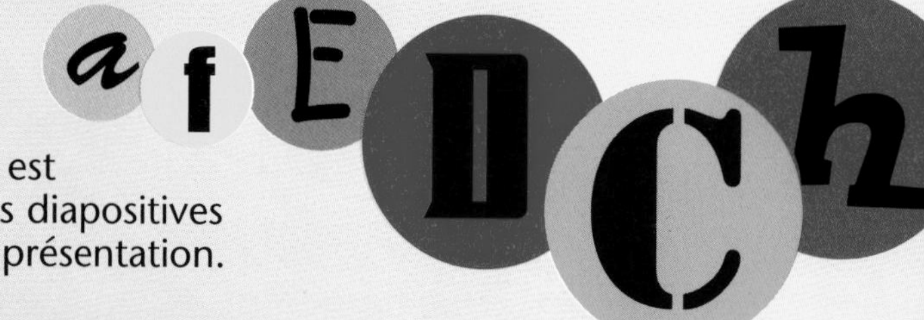

Le choix de styles de caractères, appelés **polices**, est vaste. Tu peux facilement changer la police de tes diapositives de façon à adapter les caractères au thème de la présentation.

zone Police *Clique ici.*

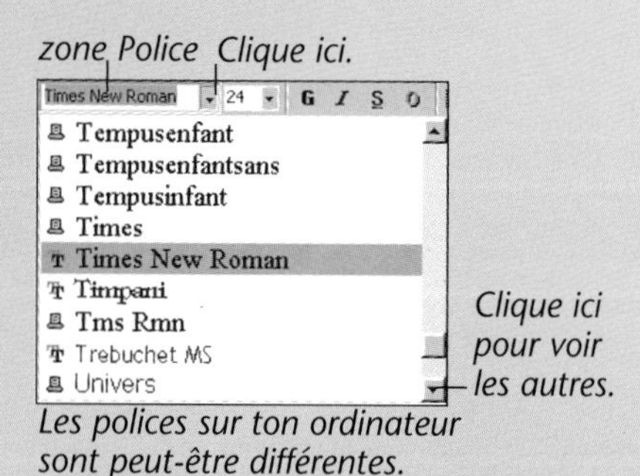

Clique ici pour voir les autres.

Les polices sur ton ordinateur sont peut-être différentes.

1. Sélectionne le texte à modifier. Clique sur la flèche au bout de la zone Police. Une liste de polices apparaît.

Le nom de la police sélectionnée s'inscrit ici.

2. Clique sur le nom de la police de ton choix. Le style de caractères s'applique alors au texte que tu as sélectionné. À présent, enregistre.

La liste devrait te donner un aperçu de l'apparence des différentes polices. Si dans ta liste, elles se ressemblent toutes, consulte la page 44.

Augmenter et réduire

l'outil Augmenter la taille de la police

1. Agrandis le texte sélectionné : clique plusieurs fois sur l'outil Augmenter la taille de la police jusqu'à obtenir la taille voulue.

l'outil Réduire la taille de la police

2. Clique sur l'outil Réduire la taille de la police si tu veux que la taille des caractères sélectionnés diminue.

Styles de caractères

l'outil Gras l'outil Italique

1. Si tu veux **épaissir** le texte sélectionné, clique sur l'outil Gras. Pour qu'il *penche*, clique sur l'outil Italique.

2. Ces outils sont semblables à des boutons interrupteurs. Clique à nouveau sur l'outil Italique, et le texte sélectionné se redresse.

Puces et numérotation

l'outil Puces

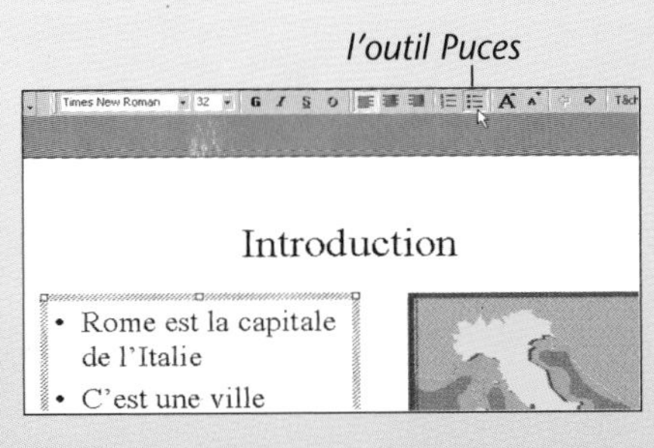

1. Pour enlever les puces dans une zone de texte sélectionnée, clique sur l'outil Puces. Clique à nouveau dessus pour les rajouter.

l'outil Numérotation

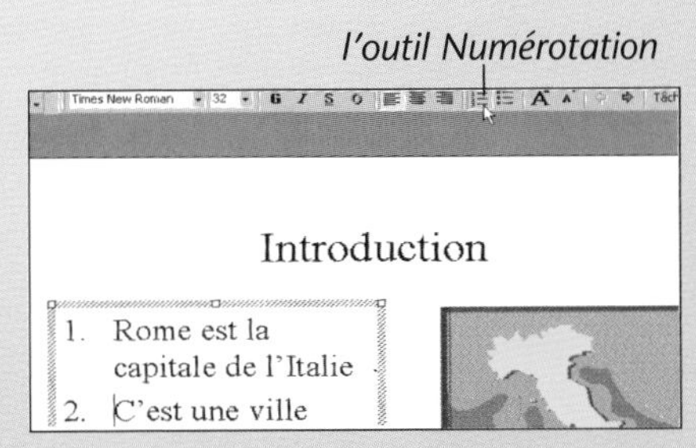

2. Dans une zone de texte sélectionnée, pour changer une liste à puces en une liste numérotée, clique sur l'outil Numérotation.

Ces diapositives donnent un aperçu des effets obtenus en modifiant l'apparence des caractères.

Ces polices à l'aspect futuriste s'accordent au thème de la présentation.

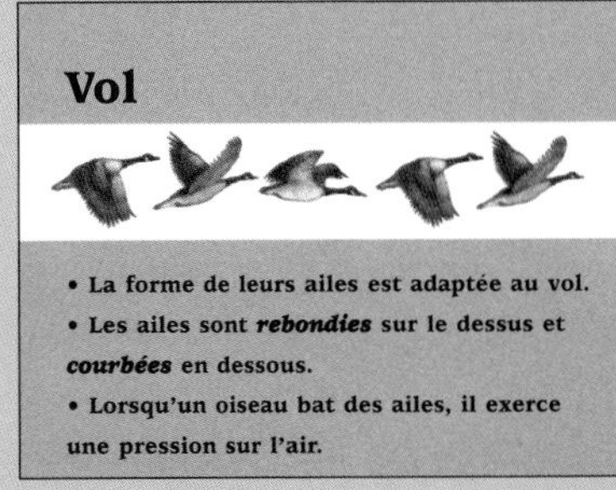

Les caractères gras et italiques font ressortir les mots et les en-têtes.

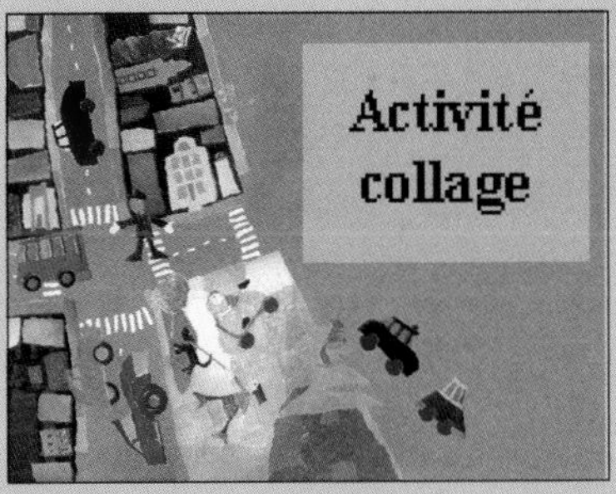

Un texte en gros caractères est plus clair, donc plus facile à lire sur une diapositive.

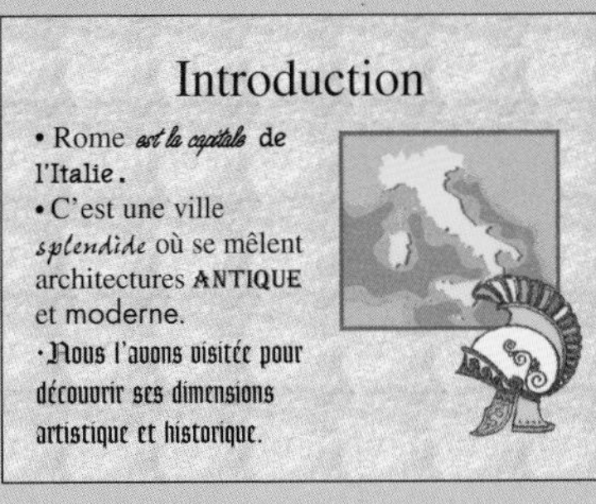

Trop de polices fantaisie rendent la diapositive confuse et illisible.

Arrière-plans

Ta présentation, pratiquement terminée, demande encore à être étoffée. Ajouter un arrière-plan apportera une touche finale originale. Avant tout, tu as intérêt à changer le mode d'**affichage** de l'écran pour obtenir une vue d'ensemble de toutes les diapositives et décider ainsi des couleurs à employer.

Arrière-plans colorés

l'outil Mode Trieuse de diapositives

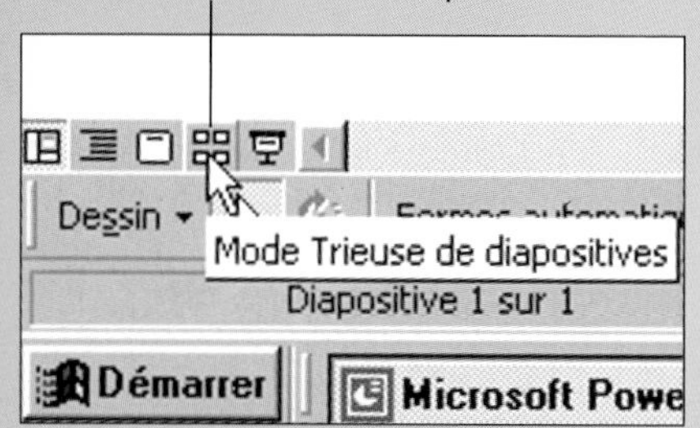

1. Pour modifier ton écran, clique sur l'outil Mode Trieuse de diapositives dans le coin inférieur gauche de l'écran.

Écran en Mode Trieuse de diapositives

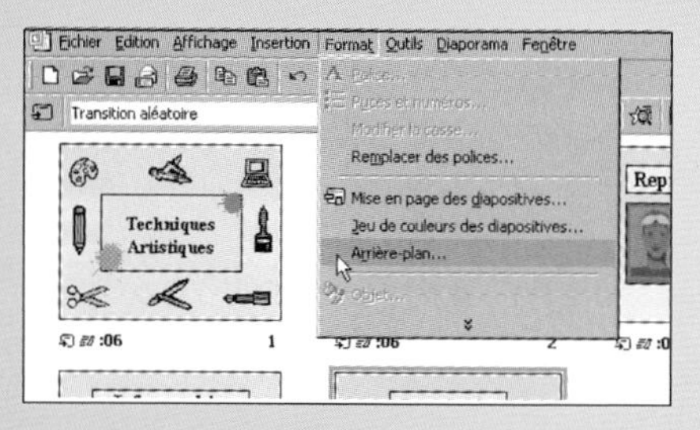

2. Clique sur la première diapositive. Clique sur *Format* dans la barre de menus. Un menu apparaît, clique sur *Arrière-plan*.

Clique sur cette flèche, puis sur Autres couleurs pour accéder à une palette de couleurs.

3. La boîte de dialogue Arrière-plan s'ouvre. Clique sur la flèche vers le bas pour faire apparaître un menu, puis sur *Autres couleurs*.

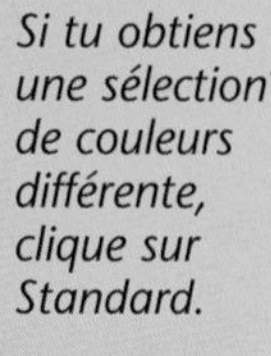

Si tu obtiens une sélection de couleurs différente, clique sur Standard.

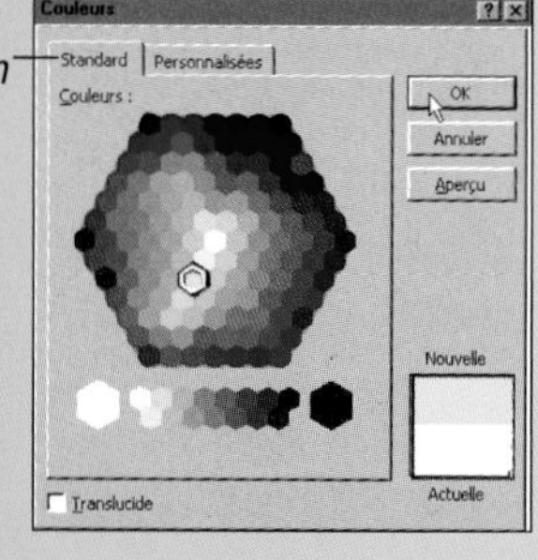

4. Tu obtiens une sélection de couleurs. Choisis-en une, clique sur *OK*. Tu reviens alors à la boîte de dialogue Arrière-plan.

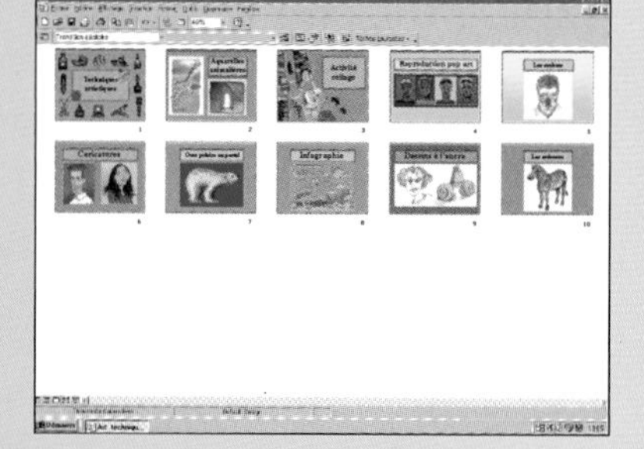

5. Pour adopter la couleur sélectionnée, clique sur *Appliquer*. Procède de même avec les autres diapositives.

Tu peux attribuer en une seule fois le même arrière-plan à toutes tes diapositives en cliquant sur *Appliquer partout* à l'étape 5.

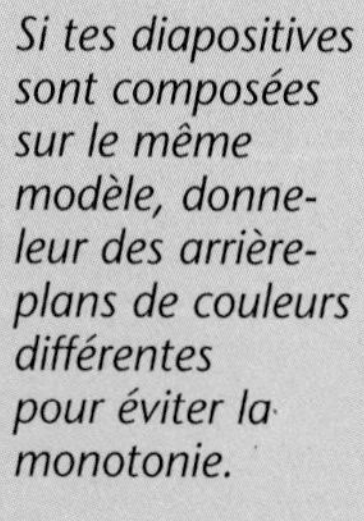

Si tes diapositives sont composées sur le même modèle, donne-leur des arrière-plans de couleurs différentes pour éviter la monotonie.

Arrière-plans en dégradé

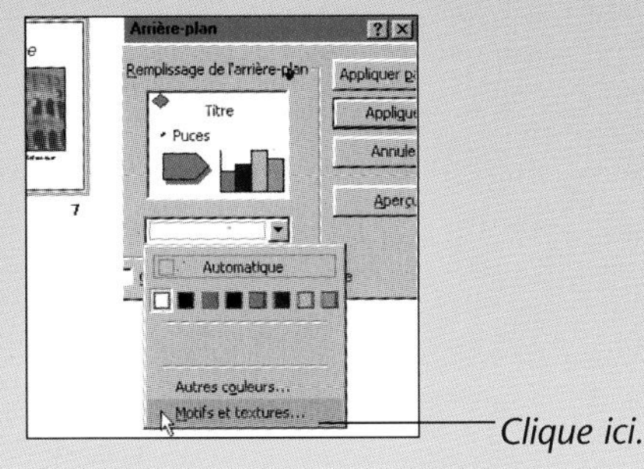

Clique ici.

1. Clique sur une diapositive. Clique sur *Format* et sur *Arrière-plan*. Clique sur la flèche vers le bas, puis sur *Motifs et textures*.

Clique ici pour changer de couleurs.

L'exemple te donne un aperçu de l'arrière-plan.

2. La boîte de dialogue Motifs et textures s'ouvre. Clique sur *Bicolore*. Modifie les couleurs en cliquant sur les flèches des cases.

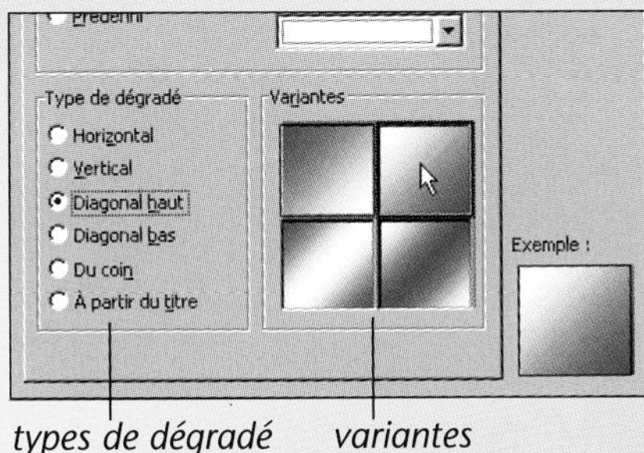

types de dégradé variantes

3. Pour modifier l'orientation du dégradé, clique sur un type de dégradé, puis sur l'une des quatre variantes. Clique sur *OK*.

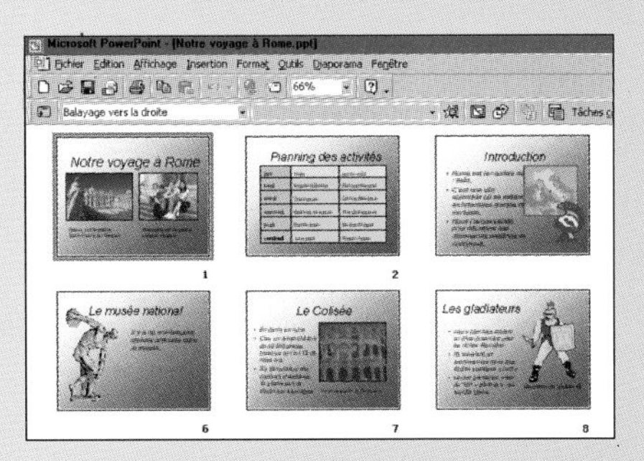

4. Pour ajouter cet arrière-plan dégradé, clique sur *Appliquer* ou *Appliquer partout*. Ensuite, enregistre ta présentation.

Arrière-plans à texture

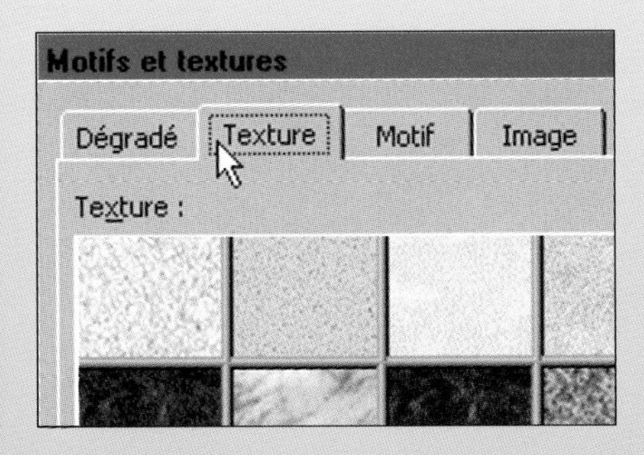

1. Ouvre la boîte de dialogue Motifs et textures (voir étape 1). Cette fois, clique sur *Texture*, en haut de la boîte de dialogue.

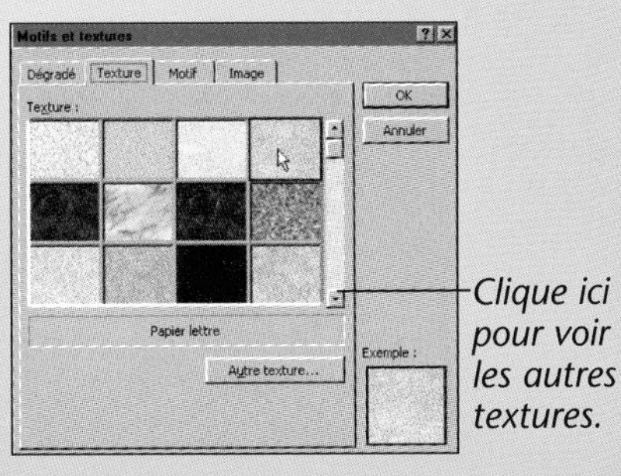

Clique ici pour voir les autres textures.

2. Clique sur une texture qui te plaît, puis sur *OK*. Clique sur *Appliquer* ou *Appliquer partout*. Enregistre tes modifications.

Textures et dégradés rendent très bien mais ne doivent pas empêcher de se concentrer sur l'essentiel.

Cet arrière-plan complète bien les photographies.

Cet arrière-plan dégradé donne un aspect accrocheur et théâtral.

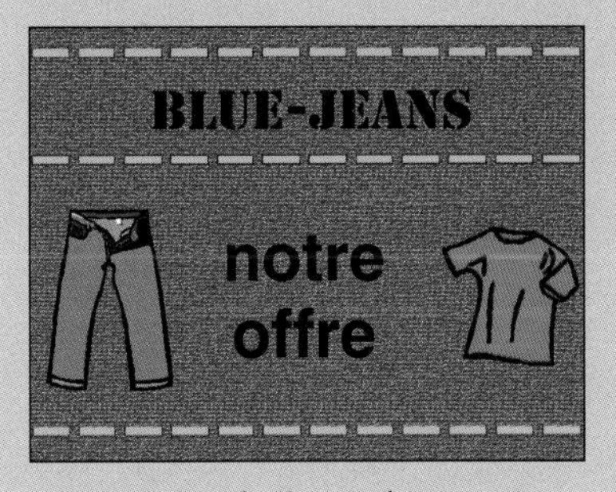

Les textures plutôt sombres sont à réserver aux diapositives ne contenant que peu de texte.

Choisis un arrière-plan à texture en harmonie avec le thème de ta présentation.

Ajouter et trier des diapositives

Lorsque tu auras toutes tes diapositives sous les yeux, tu peux décider d'en ajouter une ou de modifier l'ordre de ta présentation. Rien de plus facile en mode Trieuse de diapositives.

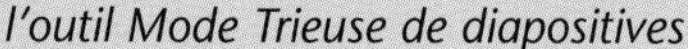
l'outil Mode Trieuse de diapositives

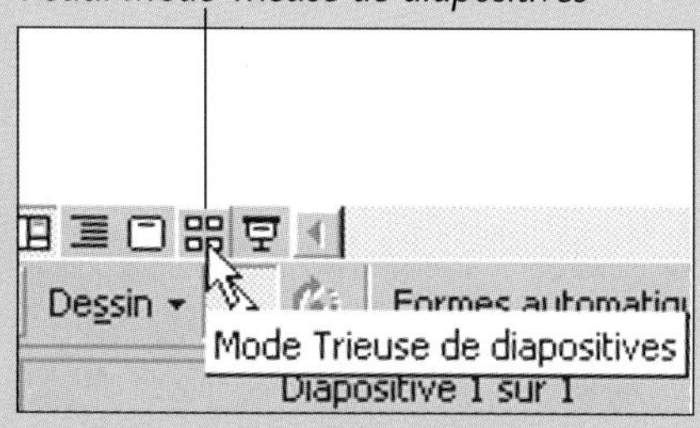

1. Pour passer en mode Trieuse de diapositives, clique sur l'outil Mode Trieuse de diapositives, en bas à gauche de l'écran.

l'outil Nouvelle diapositive

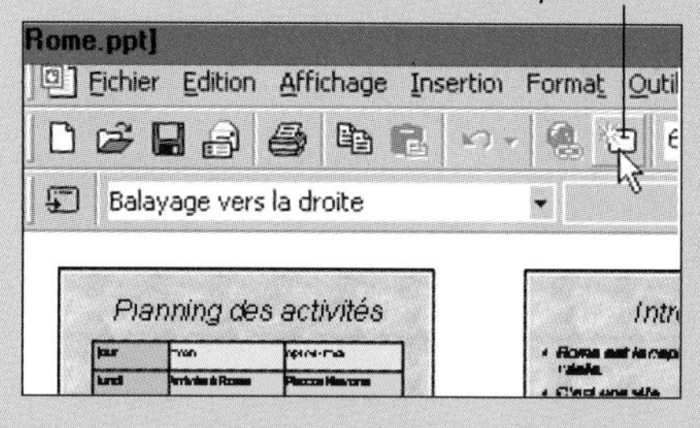

2. Pour ajouter une nouvelle diapositive, clique sur la dernière, puis sur l'outil Nouvelle diapositive, en haut de l'écran.

option Liste à puces

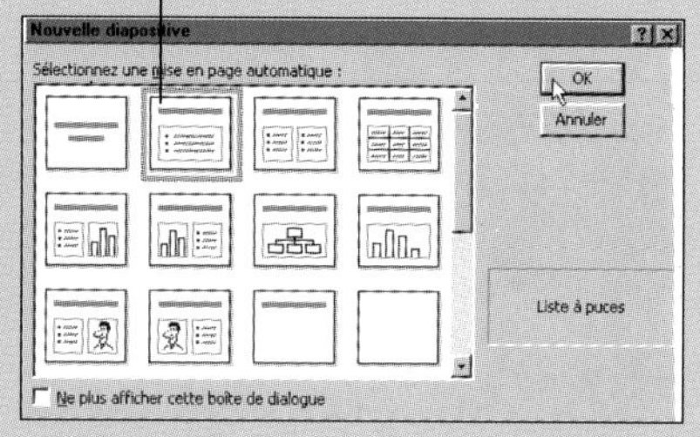

3. La boîte de dialogue Nouvelle diapositive s'ouvre. Si l'option Liste à puces n'est pas encadrée, clique dessus. Clique sur *OK*.

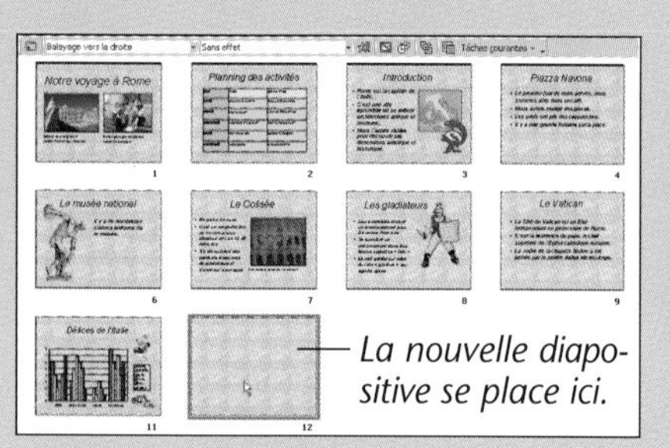
La nouvelle diapositive se place ici.

4. La nouvelle diapositive se place à la suite de la dernière. Pour la déplacer, clique dessus et tiens le bouton de la souris enfoncé.

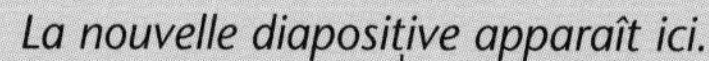
La nouvelle diapositive apparaît ici.

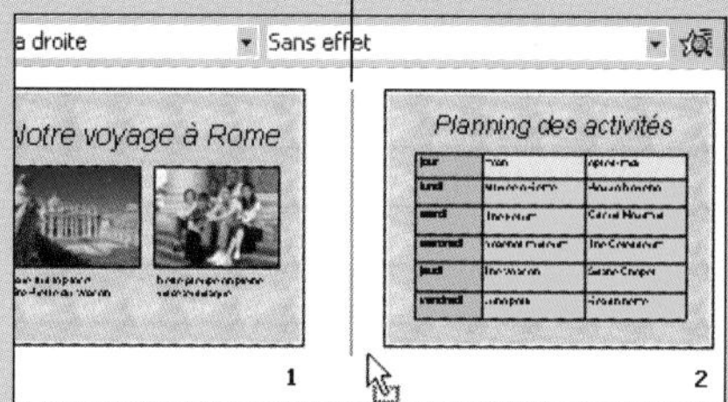

5. Fais maintenant glisser le pointeur jusqu'à l'emplacement voulu. Une ligne verticale matérialise la nouvelle position.

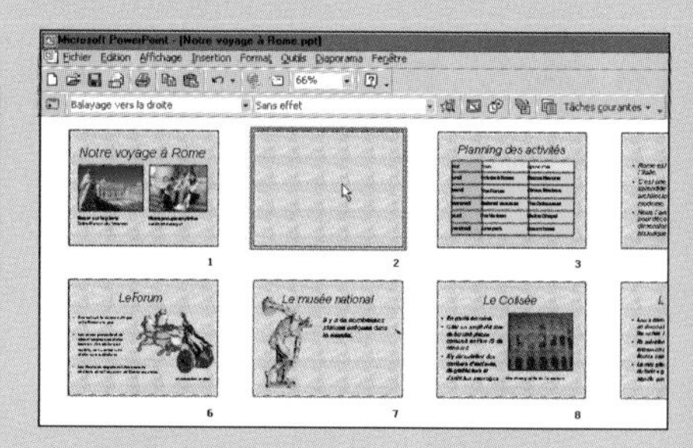

6. Relâche le bouton de la souris. La diapositive est maintenant à l'endroit voulu. Tu peux déplacer de même les autres diapositives.

l'outil Mode Normal

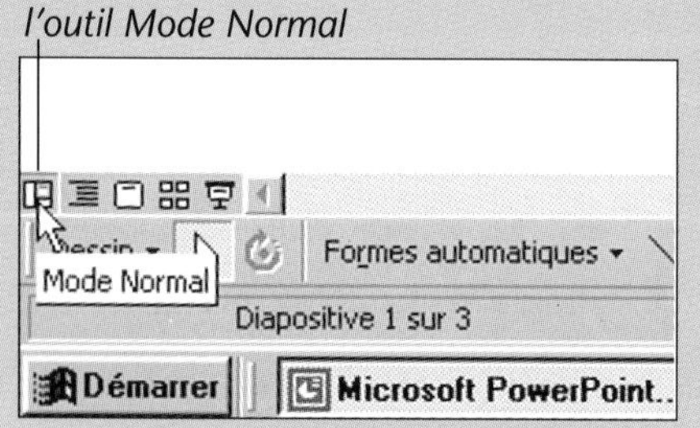

7. Si tu veux voir la nouvelle diapositive en mode Normal, double-clique dessus ou clique sur l'outil Mode Normal.

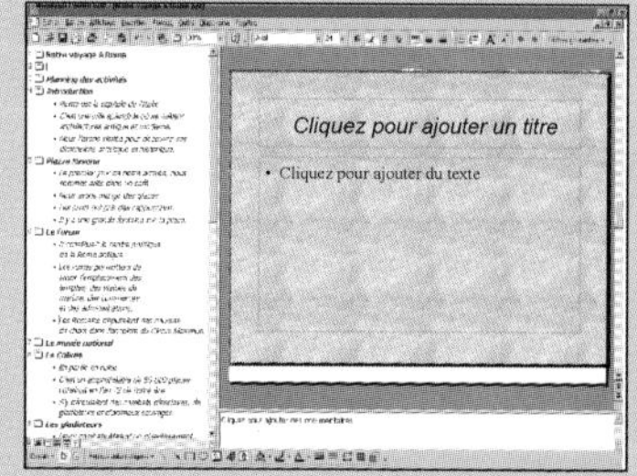

8. Il ne te reste plus qu'à ajouter sur la diapositive textes, images et valeurs. Une fois que tu es satisfait, enregistre.

Si tu veux supprimer une diapositive, clique dessus en mode Trieuse de diapositives et appuie sur la touche Suppr au clavier.

Modifier les couleurs des Clip arts

Tu peux modifier les couleurs des Clip arts pour donner plus d'éclat aux diapositives ou pour les assortir aux couleurs des éventuels tableaux, diagrammes et arrière-plans, apportant ainsi une touche plus personnelle.

1. Clique sur une image. Si la barre d'outils Image apparaît, clique sur l'outil Recolorier l'image et passe à l'étape 3. Sinon, clique sur l'image avec le bouton droit.

2. Dans le menu qui apparaît, fais descendre le pointeur jusque sur *Afficher la barre d'outils Image* et clique dessus. À présent, clique sur l'outil Recolorier l'image.

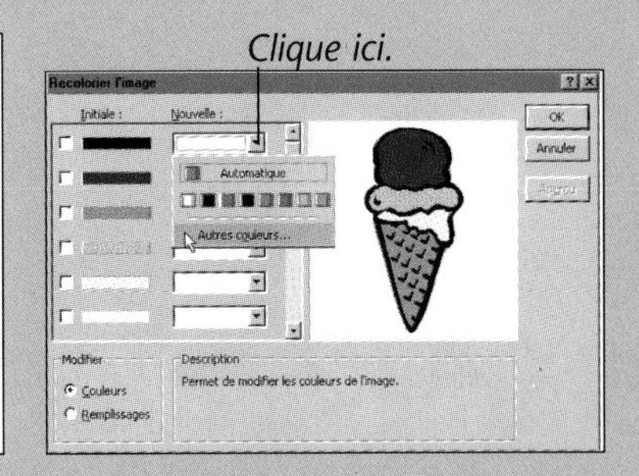

3. La boîte de dialogue Recolorier l'image apparaît. Clique sur la flèche correspondant à la couleur à modifier. Seules certaines couleurs apparaissent. Clique sur *Autres couleurs*.

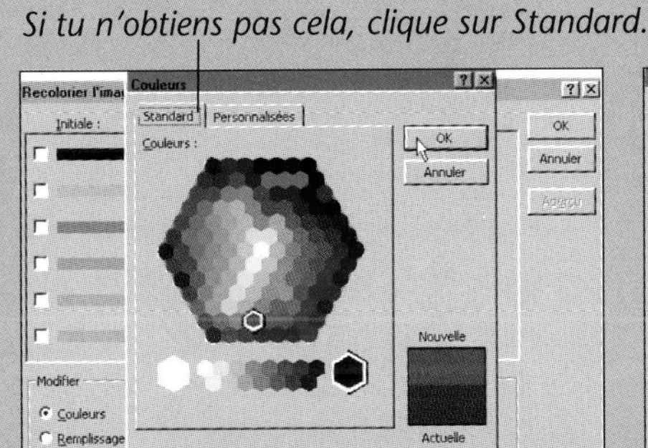

4. Une sélection de couleurs apparaît. Clique sur la couleur de ton choix, puis sur *OK*. La nouvelle couleur se substitue à celle d'origine.

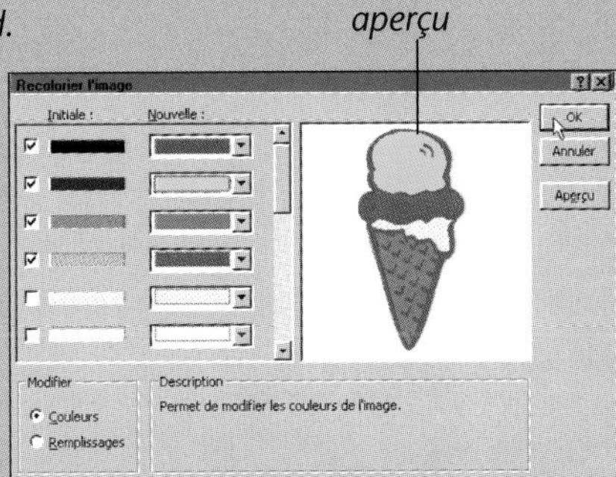

5. Modifie de même toutes les autres couleurs. Une fois que tu es satisfait du résultat affiché dans l'aperçu, clique sur *OK*.

6. La boîte de dialogue Recolorier l'image disparaît. Les couleurs de l'image Clip art ont été modifiées sur la diapositive. Clique en dehors de l'image et enregistre.

Réalise plusieurs versions d'une même image Clip art en utilisant différentes couleurs.

On a modifié les couleurs du casque pour qu'il soit assorti à la carte.

L'outil Recolorier l'image ne fonctionne qu'avec les images Clip arts.

Effets spéciaux

Si tu veux animer tes diaporamas, tu peux utiliser certains effets spéciaux, par exemple intervenir sur le mode de passage d'une diapositive à l'autre, appelé **transition**, ou donner du mouvement aux textes et images grâce à des techniques d'**animation**. Les effets spéciaux sont difficiles à montrer dans un livre mais en suivant les instructions données, tu en verras les effets à l'écran.

Les effets de transition

Voici comment faire pour qu'une diapositive s'affiche en tombant comme un rideau sur la diapositive précédente, avec, éventuellement, un effet sonore.

Tu ne pourras profiter des effets sonores qu'avec un ordinateur équipé de haut-parleurs.

1. En mode Normal, clique sur la première diapositive. Dans la barre de menus, clique sur <u>D</u>iaporama, puis sur <u>T</u>ransition.

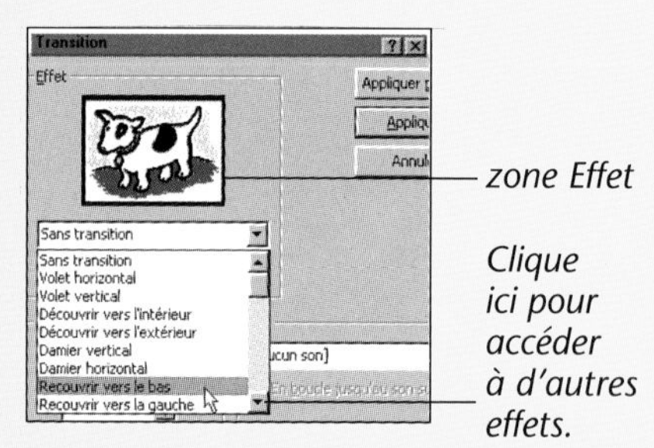

2. La boîte de dialogue Transition apparaît. Clique sur la flèche vers le bas de la case *Sans transition* et sur *Recouvrir vers le bas.*

3. À l'image du chien succède celle d'une clé, te permettant de visualiser l'effet. Clique sur le niveau de vitesse *<u>M</u>oyen.*

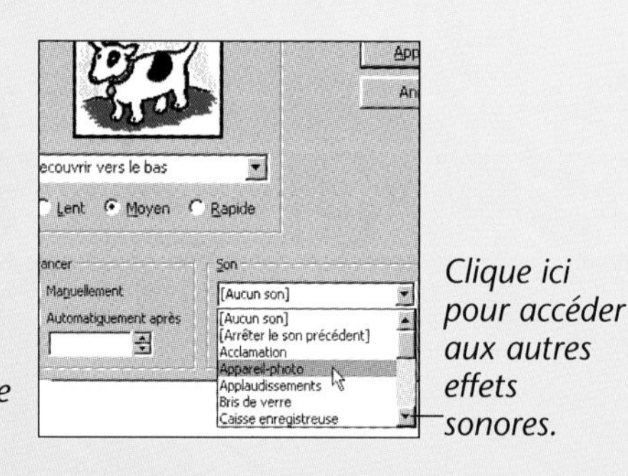

4. Clique sur la flèche sous <u>S</u>on pour dérouler la liste des effets sonores. Clique sur *Appareil-photo* pour le sélectionner.

5. Pour ajouter ces effets à la diapositive, clique sur <u>A</u>*ppliquer*, puis sur la diapositive suivante pour y ajouter aussi des effets.

Animer les mots et les images

Voici comment faire pour que le titre s'inscrive sur la diapositive en défilant lettre par lettre et pour que l'image surgisse du milieu de la diapositive avec un mouvement de zoom avant.

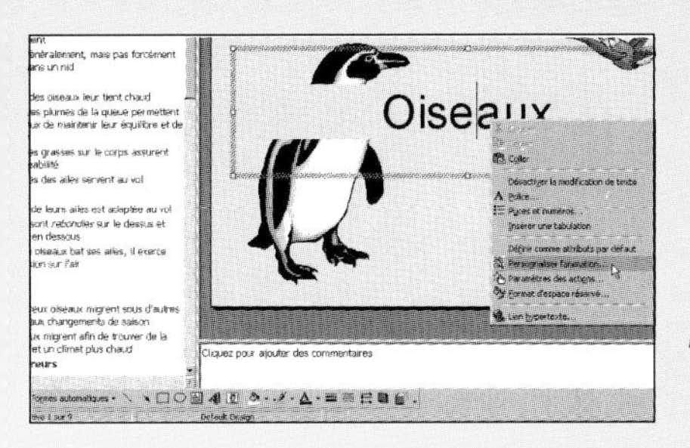

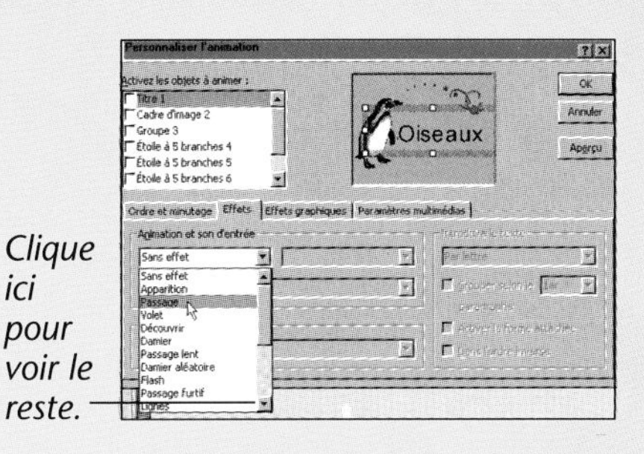

Clique ici pour voir le reste.

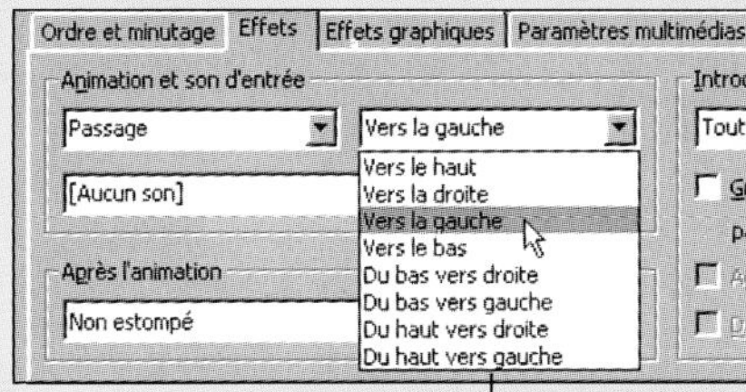

Aux différents effets d'animations sont associées différentes options.

1. En mode Normal, clique sur ta première diapositive. Clique avec le bouton droit sur le titre. Un menu apparaît. Clique sur *Personnaliser l'animation.*

2. Dans la boîte de dialogue qui apparaît, clique sur la flèche sous *Animation et son d'entrée* pour dérouler la liste des effets d'animation. Clique sur *Passage.*

3. Clique à présent sur l'autre flèche à droite. La liste qui se déroule te présente plusieurs options de direction. Clique sur *Vers la gauche.*

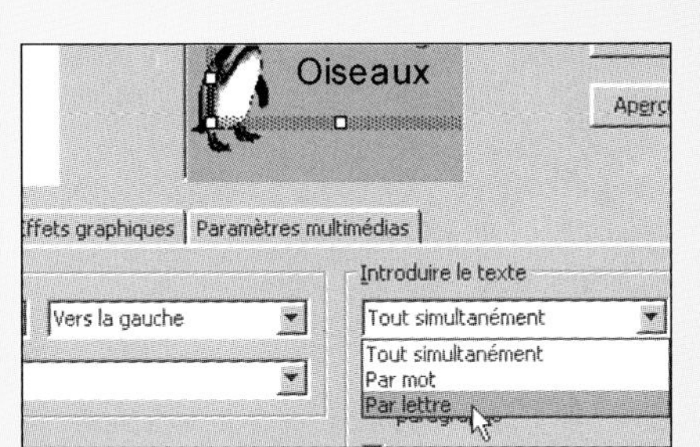

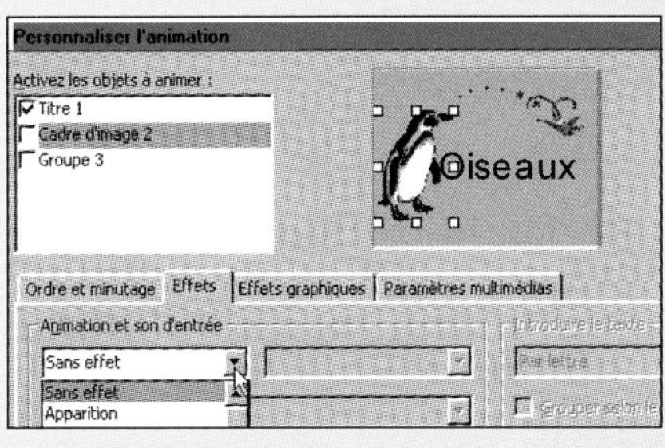

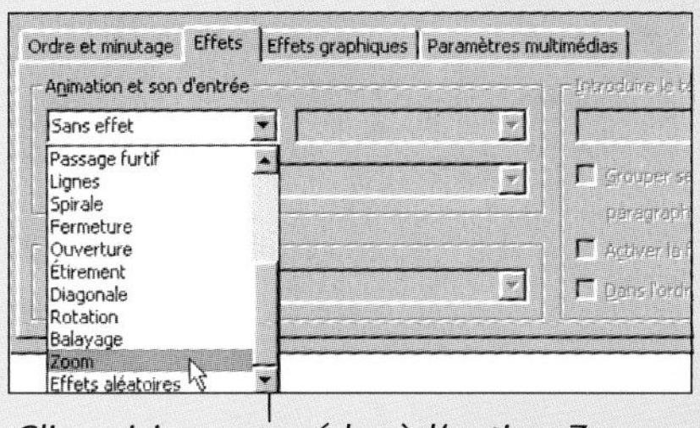

Clique ici pour accéder à l'option Zoom.

4. Pour que le titre s'inscrive lettre par lettre, clique sur la flèche sous *Introduire le texte.* Clique sur *Par lettre,* puis sur *OK.* La boîte de dialogue disparaît.

5. Clique avec le bouton droit sur l'image à animer. Clique à nouveau sur *Personnaliser l'animation.* Clique sur la flèche suivant la mention *Sans effet.*

6. Une liste d'effets se déroule. Clique sur la flèche à droite de la liste jusqu'à ce que tu accèdes à l'option *Zoom,* et clique sur celle-ci.

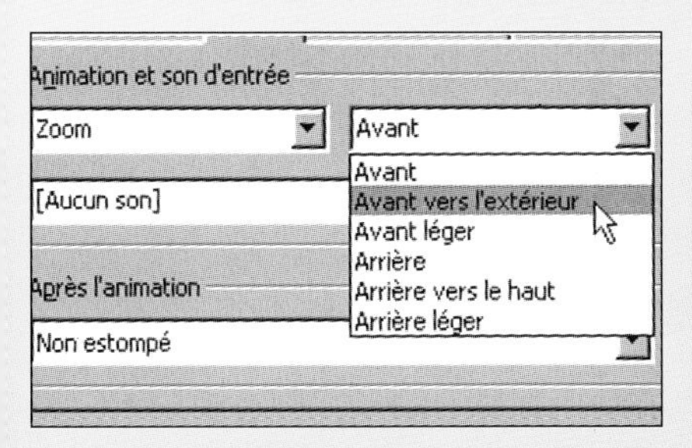

Aperçu

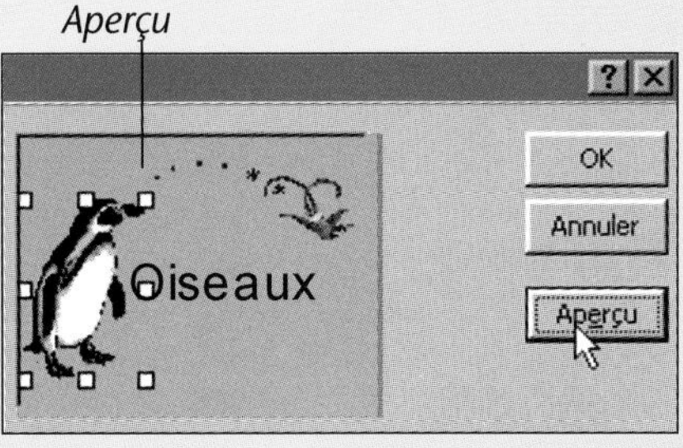

N'hésite pas à faire des expériences en combinant les différents effets proposés et clique à chaque fois sur *Aperçu* pour te faire une idée du résultat obtenu.

7. Clique maintenant sur la flèche à droite pour dérouler la liste des différents mouvements de zoom. Clique alors sur *Avant vers l'extérieur.*

8. Clique sur *Aperçu* pour obtenir une démonstration des effets avec le son. Clique sur *OK* pour ajouter ces effets à la diapositive, puis enregistre.

West Nipissing Public Library

Imprimer les documents

Si tu possèdes une imprimante, tu peux imprimer tes diapositives dans un format réduit pour pouvoir t'y reporter ou les distribuer à l'assistance. Tu peux également imprimer les commentaires qui serviront de base à ton exposé.

Vérifications préalables

Vérifie que l'imprimante est bien connectée à l'unité centrale, puis branche l'alimentation avec précaution. Appuie sur le bouton de mise en marche et vérifie qu'il y a suffisamment de papier dans le bac.

Imprimer des documents

Tu peux définir le nombre de diapositives à imprimer sur chacune des pages de ton document, sachant que, suivant la taille des diapositives imprimées, une page peut en contenir entre deux et neuf.

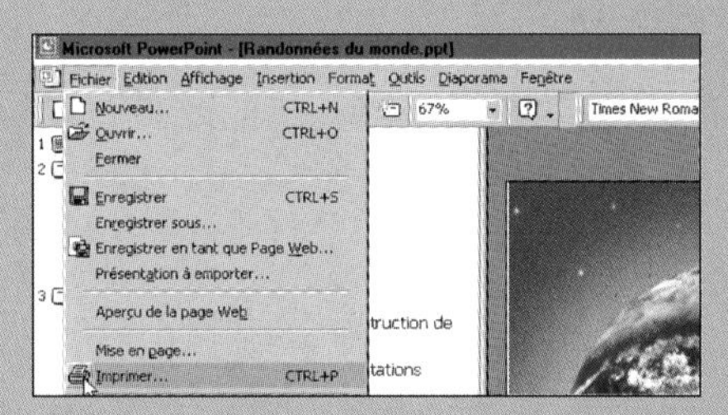

1. Clique sur *Fichier* dans le coin supérieur gauche de l'écran. Dans le menu qui apparaît, clique sur *Imprimer*.

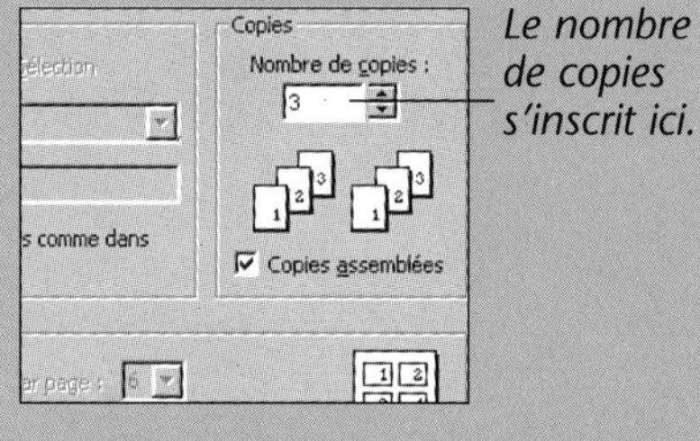

2. La boîte de dialogue Imprimer apparaît (voir ci-contre). Saisis le nombre de copies à imprimer sur papier.

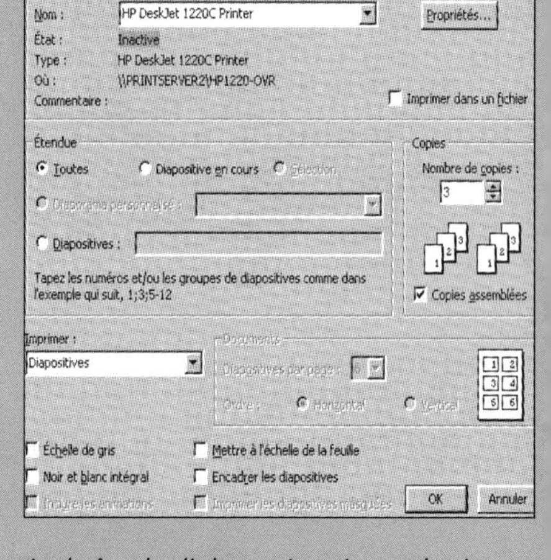

La boîte de dialogue Imprimer : la tienne ne sera pas forcément identique.

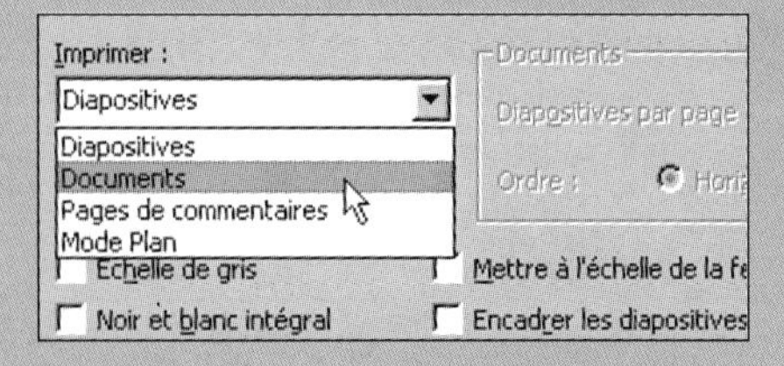

3. Pour imprimer des documents, clique sur la flèche sous *Imprimer*, puis, dans la liste, clique sur *Documents*.

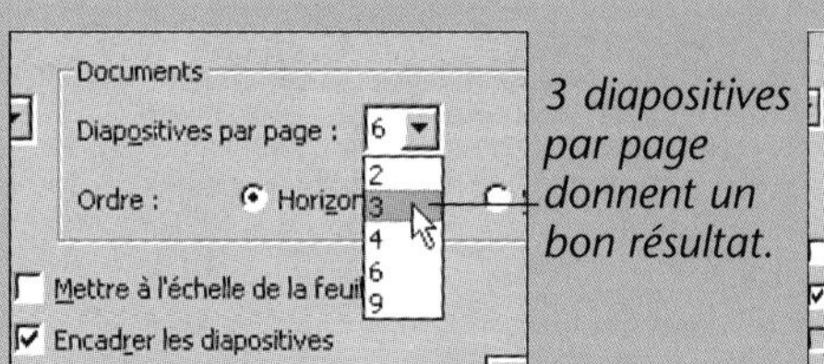

4. Clique maintenant sur la flèche suivant *Diapositives par page*, puis sur le nombre qui te convient.

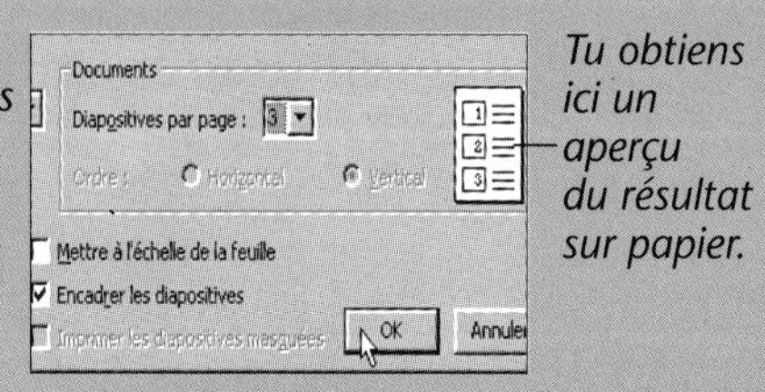

5. Amène le pointeur sur *OK* (ou sur *Imprimer*, selon le cas) et clique pour lancer l'impression de tes documents.

Commentaires sur papier

Il est parfois utile d'avoir pris quelques notes pour se souvenir de ce qu'il faut dire ou faire au fil de la présentation. PowerPoint® 2000 t'offre la possibilité de rédiger tes commentaires sur ordinateur, puis de les imprimer. Sur les pages de commentaires, la diapositive figure en plus petit suivie des commentaires qui lui sont associés.

Cette indication disparaît lorsque tu cliques ici.

1. En mode Normal, clique sur ta première diapositive, puis sur « Cliquez pour ajouter des commentaires », en dessous.

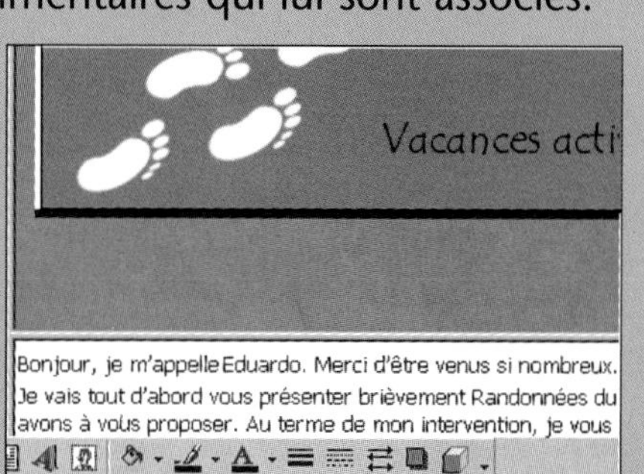

2. Le point d'insertion apparaît. Inscris les commentaires que tu devras faire à l'assistance quand tu montreras cette diapositive.

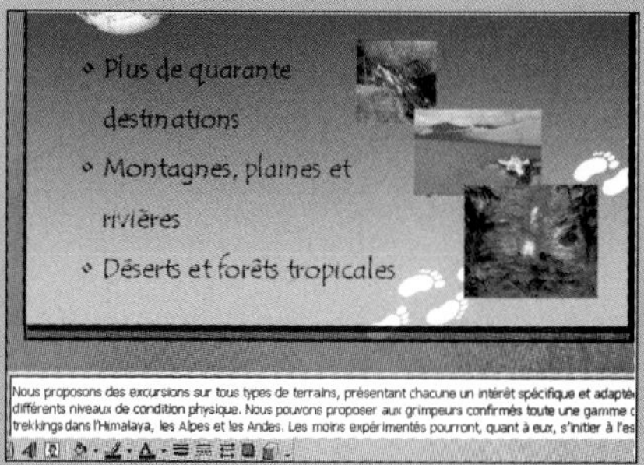

3. Clique sur la diapositive suivante et, de la même façon, rédige les commentaires associés. Enregistre avant d'imprimer.

4. Pour imprimer, clique sur *Fichier*, puis sur *Imprimer* pour ouvrir la boîte de dialogue. Tape le nombre de copies voulu.

5. Clique sur la flèche sous *Imprimer*. Une liste apparaît, fais descendre le pointeur et clique sur *Pages de commentaires*.

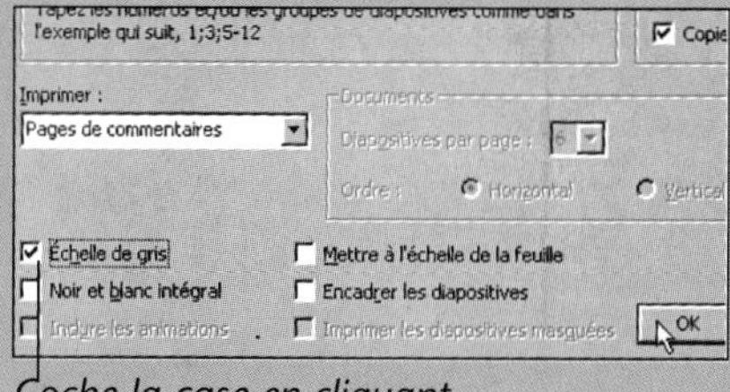

Coche la case en cliquant sur Échelle de gris.

6. Imprime en noir et blanc pour économiser la cartouche couleurs. Clique sur Échelle de gris, puis sur *OK* pour lancer l'impression.

Voici différentes possibilités d'imprimer tes documents.

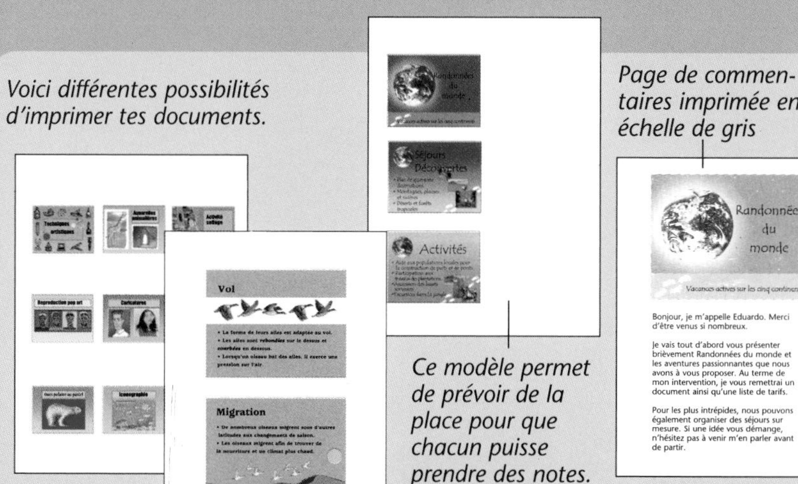

Ce modèle permet de prévoir de la place pour que chacun puisse prendre des notes.

Page de commentaires imprimée en échelle de gris

Vérifie que tes diapositives ne contiennent aucune faute d'orthographe avant d'imprimer tes documents ou commentaires.

En piste !

Il est temps de préparer ton intervention en public. À toi de voir si tu vas la présenter sur un écran d'ordinateur ou la projeter sur grand écran. Dans les deux cas, les conseils que tu trouveras sur ces pages te simplifieront la tâche !

Diaporama sur un ordinateur

l'outil Diaporama

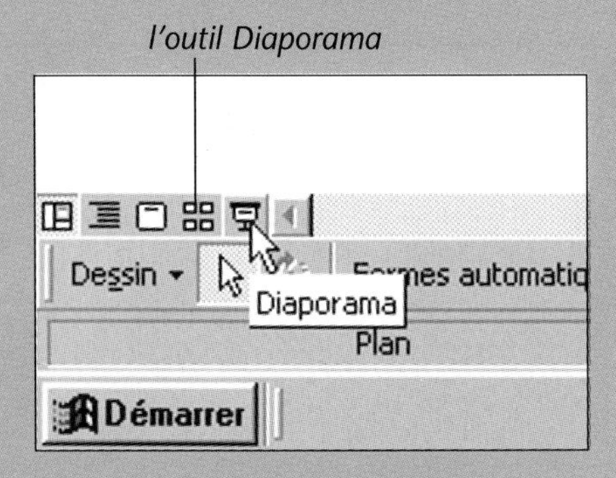

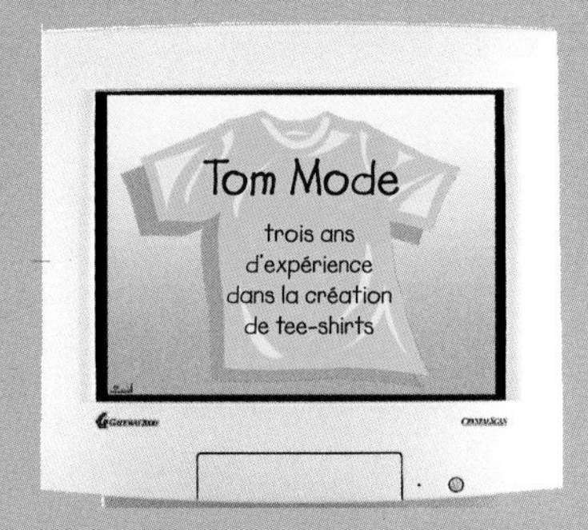

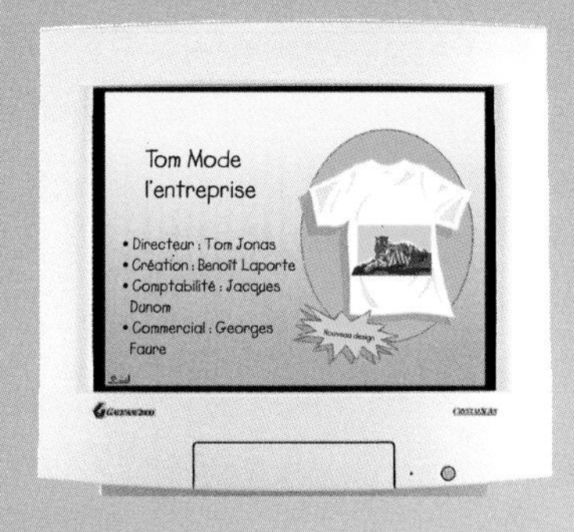

1. Commence par cliquer sur ta diapositive de titre, puis sur l'outil Diaporama dans le coin inférieur gauche de l'écran. L'écran peut rester noir un bref instant.

2. Ta diapositive de titre remplit l'écran. Si tu as défini des animations sur cette diapositive, il te faut cliquer chaque fois qu'une animation doit se déclencher.

3. Clique à nouveau pour faire apparaître la diapositive suivante. À la fin du diaporama, l'écran devient noir. Clique encore pour faire réapparaître la diapositive de titre en mode Normal.

Diaporama automatique

Tu peux paramétrer ton diaporama pour qu'il soit diffusé en ton absence. Chaque diapositive reste affichée quelques secondes avant de laisser place à la suivante. Cela est utile si l'assistance n'est pas habituée à manipuler un ordinateur. Le diaporama ne s'interrompt que lorsqu'on appuie au clavier sur la touche Echap.

Un point apparaît lorsque tu cliques ici.

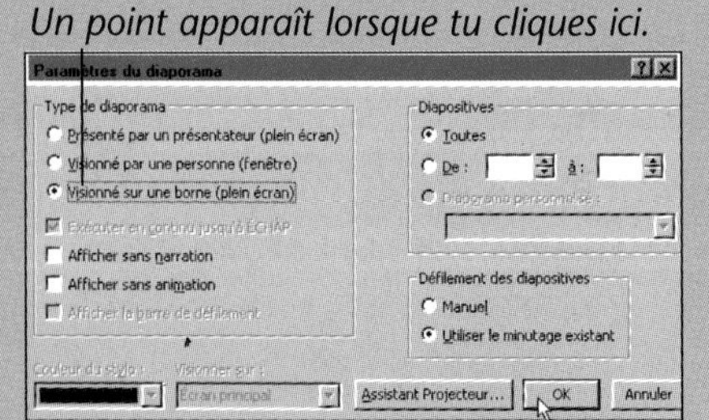

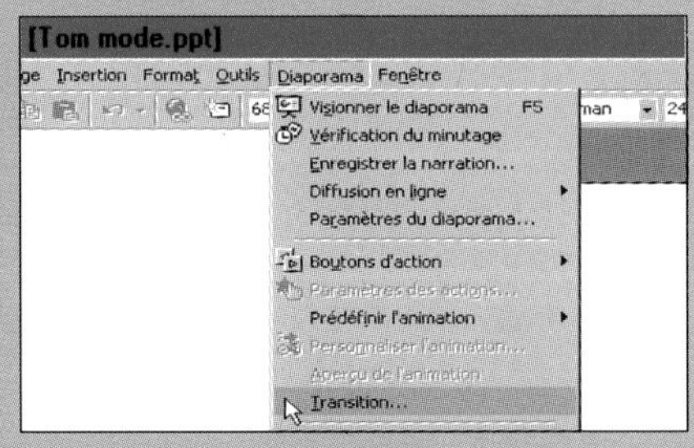

Inscris un nombre ici. En général, dix secondes suffisent pour lire une diapositive.

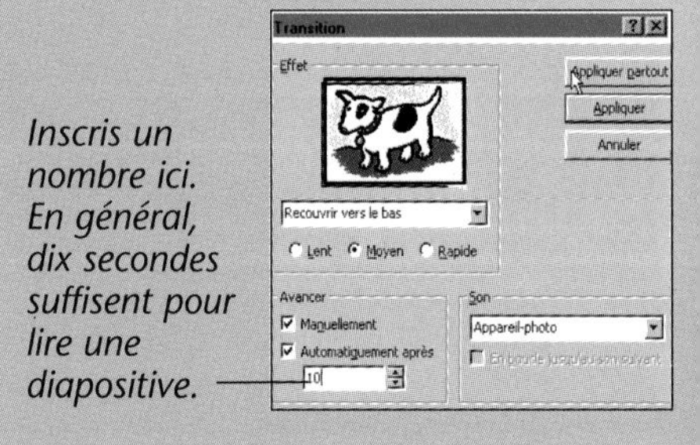

1. Clique sur une diapositive, puis sur *Diaporama* dans la barre de menus. Clique sur *Paramètres du diaporama*. Une boîte de dialogue apparaît. Clique sur *Visionné sur une borne* et sur *OK*.

2. Clique à nouveau sur *Diaporama* dans la barre de menus. Clique cette fois sur *Transition*. La boîte de dialogue Transition s'ouvre automatiquement au milieu de l'écran.

3. Inscris la durée d'affichage de chaque diapositive en nombre de secondes. Clique sur *Appliquer partout* et enregistre. Pour lancer le diaporama, clique sur l'outil Diaporama.

Utiliser un projecteur et un ordinateur portable

Pour présenter ton diaporama sur grand écran, tu auras besoin d'un projecteur. Tu dois tout d'abord raccorder le projecteur à l'ordinateur, puis le brancher sur l'alimentation et l'allumer. Beaucoup de personnes préfèrent créer et présenter leur diaporama sur ordinateur portable, car on peut les emporter partout.

Tu peux aussi bien relier un projecteur et un PC, sachant toutefois que le moniteur ne fonctionnera peut-être pas en même temps que le projecteur.

Tu devras peut-être faire la mise au point pour obtenir une image nette.

Câble reliant le projecteur à l'ordinateur portable.

L'image sur l'écran de l'ordinateur est aussi projetée sur grand écran. Dans le cas contraire, consulte l'aide de la page 45.

Dernières recommandations

1. N'hésite pas à faire un dernier contrôle sur l'ensemble de ta présentation pour relever toute éventuelle erreur.

2. Avant que le public n'arrive, vérifie toujours que le matériel est en place et que tout fonctionne correctement.

3. Place ton ordinateur devant toi et tiens-toi légèrement décalé sur le côté du grand écran. Tu retiendras plus facilement l'attention du public si tu regardes les gens dans les yeux.

4. Attends d'avoir terminé ta présentation pour distribuer tes documents, sinon les gens risquent de se mettre à lire au lieu de t'écouter.

5. Parle lentement et distinctement. Essaie de te souvenir de ce que tu as à dire pour ne pas avoir à te replonger trop souvent dans tes notes.

6. La projection sur grand écran ne change en rien ta présentation. Si tu veux montrer un détail sur une diapositive, utilise la souris pour déplacer le pointeur sur l'écran.

Éteindre l'ordinateur

Il est important que tu éteignes ton ordinateur correctement, sinon il risque de te poser des problèmes lorsque tu voudras le rallumer. Tu éviteras ce genre de désagrément en suivant les instructions ci-après.

Fermer PowerPoint

Avant de fermer Microsoft®PowerPoint®2000, tu dois enregistrer et fermer ta présentation. Retourne aux pages 10-11 si tu ne sais plus comment faire.

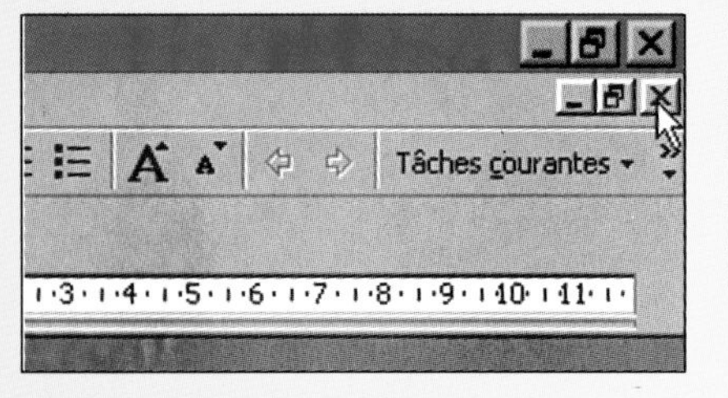

Clique ici pour enregistrer les modifications effectuées.

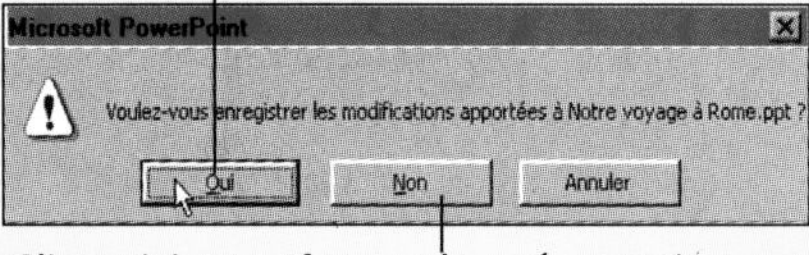

Clique ici pour fermer la présentation sans enregistrer les modifications.

Fermer
Tâches courantes

1. Pour fermer la présentation, place le pointeur sur la croix du dessous, dans le coin supérieur droit de l'écran. Clique avec le bouton gauche de la souris.

2. Si tu as fait des modifications depuis le dernier enregistrement, ce message apparaît. Clique sur *Oui* pour enregistrer et va aux pages 10-11, ou clique sur *Non*.

3. Pour fermer PowerPoint, clique sur la petite croix dans le coin supérieur droit de l'écran. PowerPoint disparaît, laissant la place à l'écran Windows®.

Arrêter l'ordinateur

En jargon informatique, on dit plutôt **arrêter** qu'éteindre l'ordinateur. Ces instructions t'indiquent comment faire.

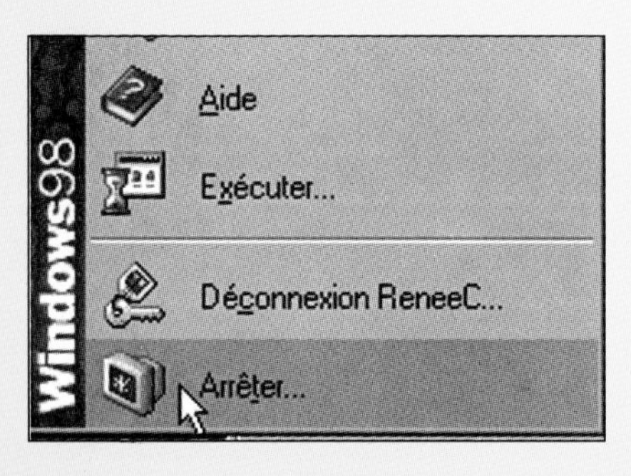

Clique sur Arrêter : un point noir apparaît dans le petit rond correspondant.

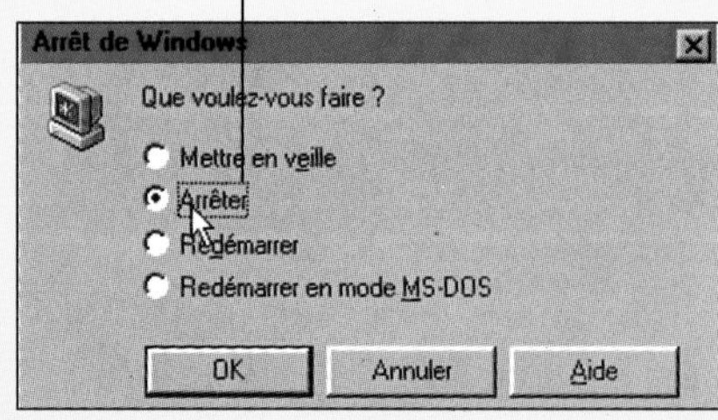

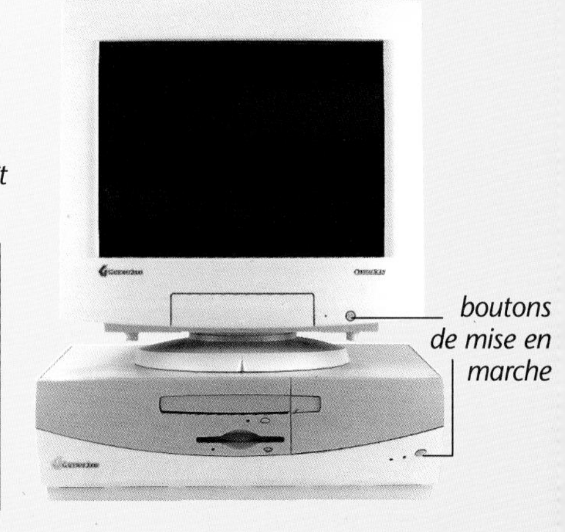

1. Clique sur Démarrer dans le coin inférieur gauche de l'écran. Dans le menu qui apparaît, clique sur *Arrêter*. Le menu disparaît.

Une boîte de dialogue de ce genre s'ouvre. Clique sur *Arrêter*, puis sur *OK*. Patiente tant qu'il se passe quelque chose à l'écran, l'ordinateur se prépare à s'arrêter.

3. L'ordinateur s'éteint parfois de lui-même. Sinon attends qu'il t'y invite et appuie sur les boutons d'alimentation de l'unité centrale et du moniteur.

Retrouver une présentation

Une fois que tu as enregistré et fermé ta présentation, elle disparaît de l'écran. Tu dois savoir comment faire pour la retrouver. Voici la marche à suivre pour y arriver facilement.

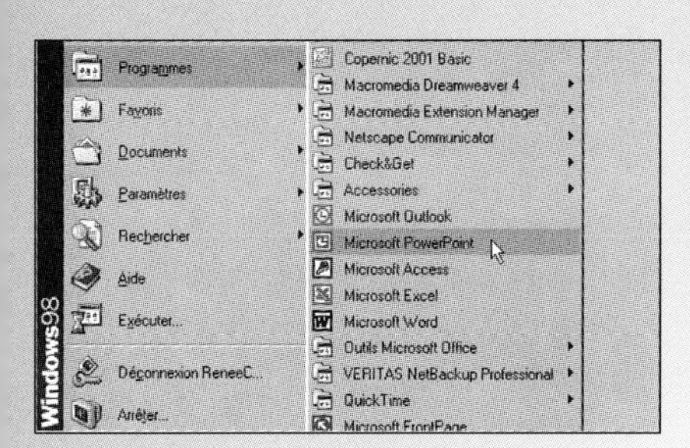

1. Si tu dois ouvrir PowerPoint, clique sur Démarrer. Clique ensuite sur *Programmes*, puis sur *Microsoft PowerPoint*. S'il est ouvert, passe à l'étape 4.

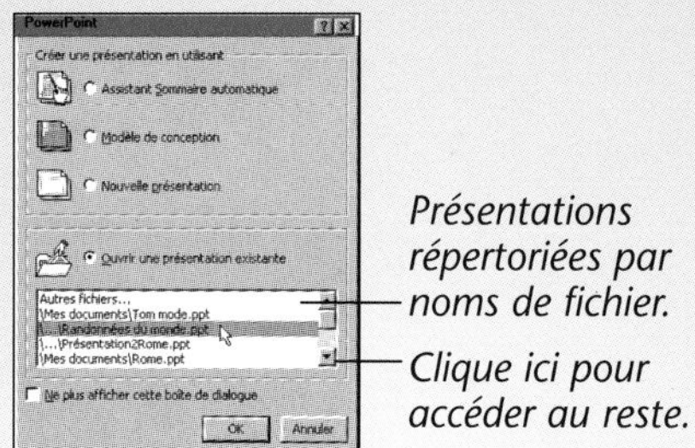

Présentations répertoriées par noms de fichier.

Clique ici pour accéder au reste.

2. Dans la boîte de dialogue, clique sur *Ouvrir une présentation existante*. Si tu vois le nom de fichier de ta présentation, clique dessus et sur *OK* pour l'ouvrir.

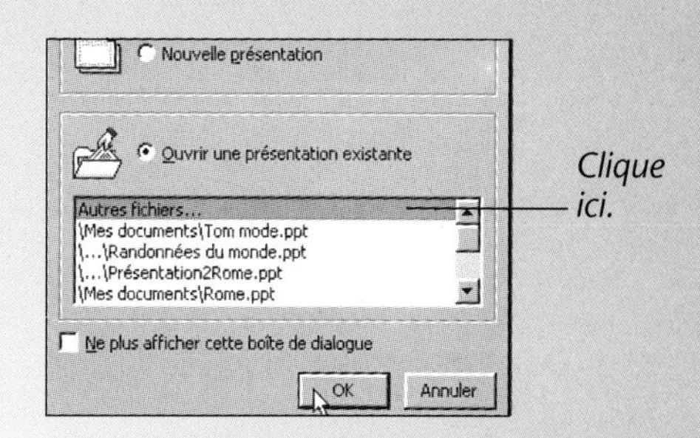

Clique ici.

3. Si le nom de fichier de la présentation que tu veux ouvrir ne figure pas dans la liste, clique sur *Autres fichiers*. Clique ensuite sur *OK* et passe à l'étape 5.

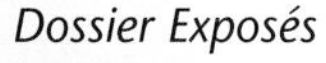

4. Si tu veux ouvrir une présentation et que PowerPoint est déjà ouvert, clique sur l'outil Ouvrir près du coin supérieur gauche de l'écran.

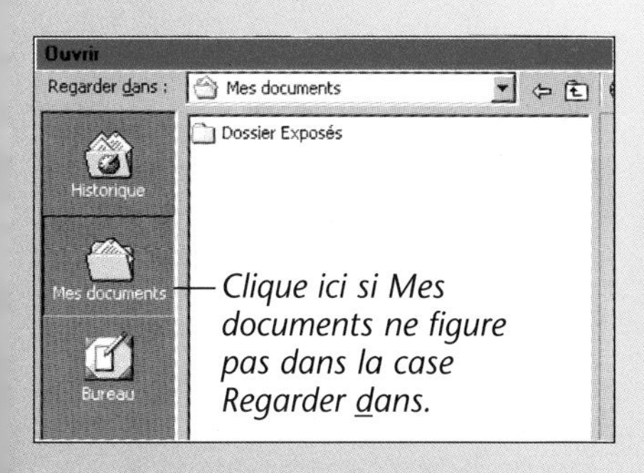

Clique ici si Mes documents ne figure pas dans la case Regarder dans.

5. La boîte de dialogue Ouvrir apparaît. Si Mes documents figure dans la case *Regarder dans*, ton dossier se trouve en dessous. Clique dessus, puis sur *Ouvrir.*

Dossier Exposés

Quand il y a beaucoup de présentations, tu peux faire défiler la liste en cliquant ici.

La première diapositive de ta présentation va s'afficher ici.

6. Lorsque le nom de ton fichier figure dans la case *Regarder dans*, les noms des présentations sont inscrits dans la zone en dessous. Retrouve celle que tu veux ouvrir.

7. Clique sur le nom de la présentation en question. La première diapositive apparaîtra peut-être sur la droite. À présent, il suffit de cliquer sur *Ouvrir.*

De quoi ai-je besoin ?

Cet ouvrage explique comment utiliser Microsoft® PowerPoint® 2000 sur un PC, c'est-à-dire un ordinateur personnel. Un PC est constitué de différents éléments, appelés **matériel** en jargon informatique. Tu as aussi besoin de **logiciels**, des programmes informatiques qui envoient des instructions à l'ordinateur.

Le matériel

Cette illustration te montre le matériel nécessaire. Tous les PC n'étant pas exactement identiques, ne t'inquiète pas si le tien est légèrement différent.

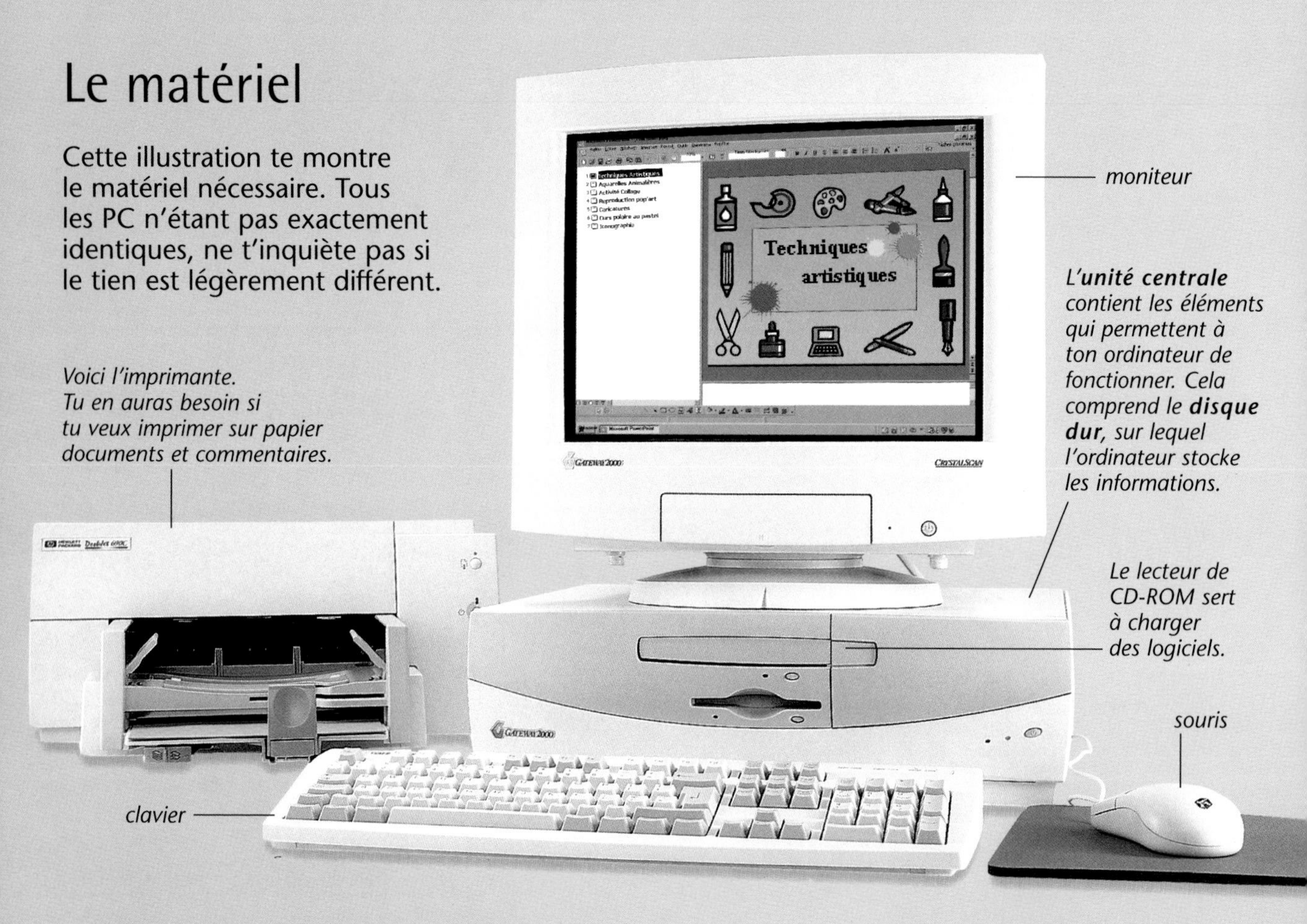

Voici l'imprimante. Tu en auras besoin si tu veux imprimer sur papier documents et commentaires.
moniteur
Techniques
artistiques
L'unité centrale contient les éléments qui permettent à ton ordinateur de fonctionner. Cela comprend le ***disque dur***, sur lequel l'ordinateur stocke les informations.
Le lecteur de CD-ROM sert à charger des logiciels.
souris
clavier

Les logiciels

Les logiciels se présentent généralement sur un disque, appelé CD-ROM, semblable à un CD de musique. Le disque te sert à installer les logiciels sur ton ordinateur. Le logiciel Microsoft® PowerPoint® 2000 est inclus dans certaines versions de Microsoft® Office 2000. Il te faut également un système d'exploitation, tel que Microsoft® Windows® 95, 98, 2000 ou ME : il s'agit d'une catégorie de logiciel qui permet de faire fonctionner les autres logiciels. Consulte les pages 42-43 pour savoir comment installer PowerPoint.

Le projecteur

Tu auras besoin d'un projecteur si tu veux projeter tes diapositives sur grand écran. La page 37 t'explique comment l'utiliser.

Les branchements

Vérifie que le clavier, le moniteur et la souris sont tous correctement connectés à l'unité centrale. Les fiches doivent s'emboîter parfaitement dans les prises, sans que tu sois obligé de forcer, ce qui pourrait endommager les petites broches qui se trouvent sur certaines prises. L'unité centrale et le moniteur ne doivent être branchés sur l'alimentation ou allumés que lorsque tout le reste est connecté.

L'arrière de ton ordinateur doit plus ou moins ressembler à cela.

Câble reliant l'unité centrale à la souris.

Câble allant au clavier.

Câble reliant le moniteur à l'alimentation.

Câble reliant l'unité centrale à l'alimentation.

câble de l'imprimante

Un câble relie l'unité centrale et le moniteur.

S'il y a des vis sur une fiche, n'oublie pas de les serrer.

Il restera probablement des prises libres à l'arrière de l'ordinateur. Elles peuvent être utilisées pour d'autres éléments, tels que des haut-parleurs.

Allumer l'ordinateur

1. Appuie sur l'interrupteur de l'unité centrale ainsi que sur celui du moniteur, s'il y en a un (voir ci-dessus).

2. Patiente quelques instants. L'ordinateur est prêt lorsque tu aperçois un écran Windows® semblable à celui ci-dessus.

Bien qu'il y ait un bouton marche/arrêt sur l'ordinateur, il ne faut pas simplement appuyer dessus lorsque tu veux éteindre ton ordinateur. La page 38 t'explique la marche à suivre pour l'arrêter correctement.

Installer PowerPoint® 2000

Microsoft® PowerPoint® 2000 est intégré à Microsoft® Office 2000. Le tout se présente sur un disque appelé CD-ROM. Si PowerPoint ne se trouve pas sur ton ordinateur, tu vas devoir l'**installer**, c'est-à-dire le charger à partir du CD-ROM.

Lorsque tous les programmes sont fermés, l'écran Windows® est affiché à l'écran.

1. Commence par fermer tous les programmes ouverts. Repère le lecteur de CD-ROM sur l'unité centrale (voir page 40). Appuie sur le bouton du lecteur.

2. Place le CD-ROM dans le tiroir qui vient de s'ouvrir, face imprimée sur le dessus. Ferme le tiroir en appuyant de nouveau sur le bouton. Patiente un instant.

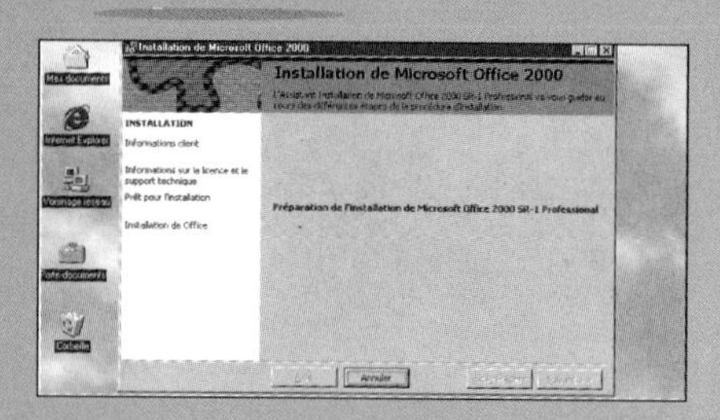

3. Une boîte de dialogue apparaît au milieu de l'écran. Patiente quelques instants, le temps que l'ordinateur soit prêt à installer le logiciel.

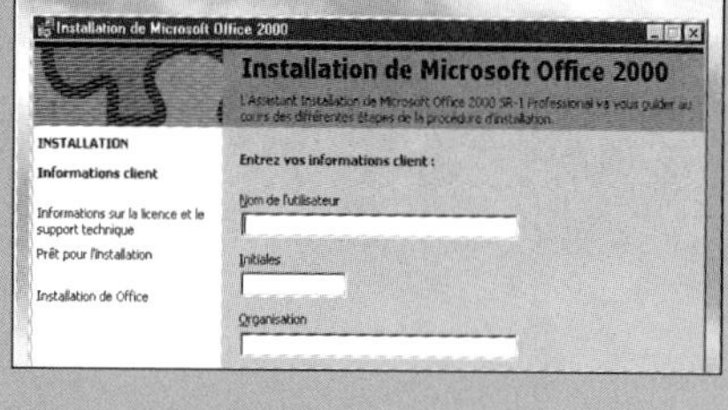

4. Une nouvelle boîte de dialogue apparaît, contenant plusieurs cases blanches. Le point d'insertion clignote dans la case « *Nom de l'utilisateur* ».

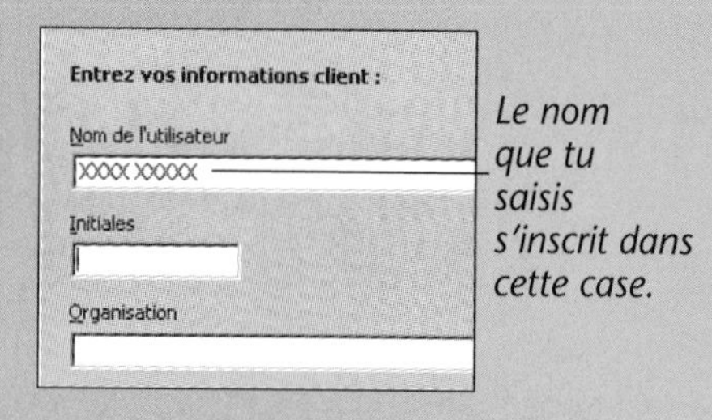

Le nom que tu saisis s'inscrit dans cette case.

5. Inscris ton nom dans la case blanche du haut. Appuie ensuite sur la touche Tabulation pour déplacer le point d'insertion dans la deuxième case blanche.

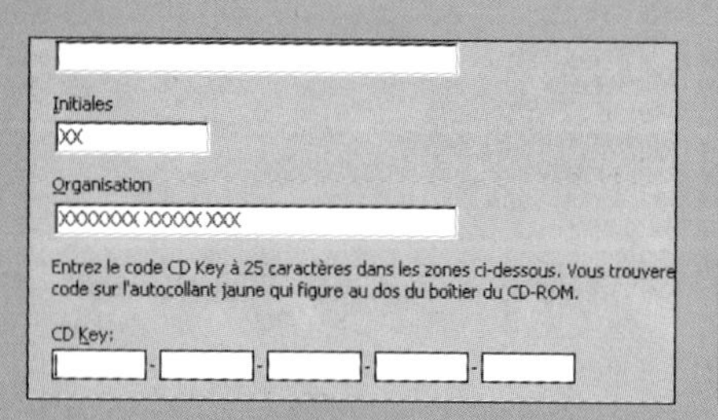

6. Tape tes initiales et appuie sur Tabulation. Le point d'insertion clignote sous « *Organisation* ». Appuie de nouveau sur Tabulation pour le déplacer sous « *CD Key* ».

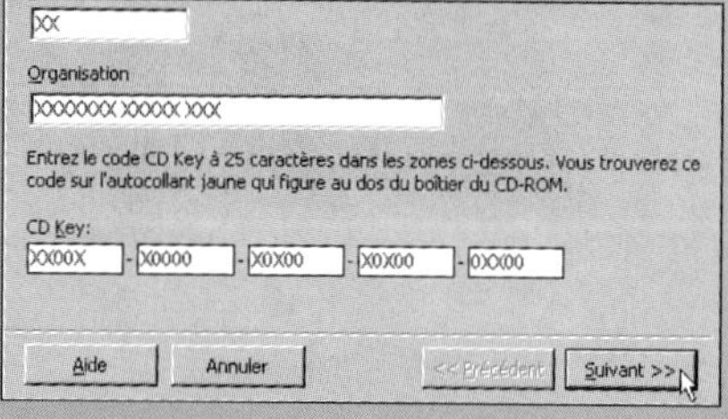

7. Repère la clé Produit sur le boîtier du CD-ROM et saisis-la sans te tromper. Elle s'inscrit au fur et à mesure dans les cinq cases. Puis clique sur *Suivant*.

Microsoft Office 2000 - Informations sur le contrat de licenc
support technique
Notez votre numéro Product ID. Si vous appelez le Support technique ce numéro vous sera demandé.
Nom XXXX XXXXX
Initiales XX
Organisation XXXXXXX XXXXX XXX
Product ID 00000-000-0000000-00000
Contrat de Licence Utilisateur Final
CONTRAT DE LICENCE UTILISATEUR FINAL POUR LOG
MICROSOFT

8. Une nouvelle boîte de dialogue apparaît. Note la série de chiffres de « *Product ID* » et garde en lieu sûr. Il te la faudra si tu contactes le support technique de Microsoft®.

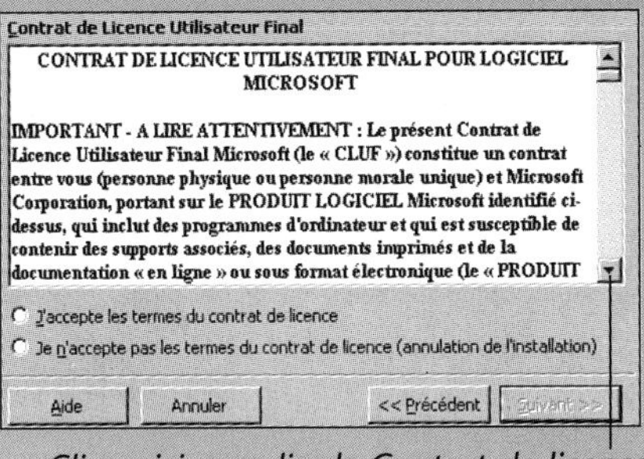

Clique ici pour lire le Contrat de licence Utilisateur final jusqu'au bout.

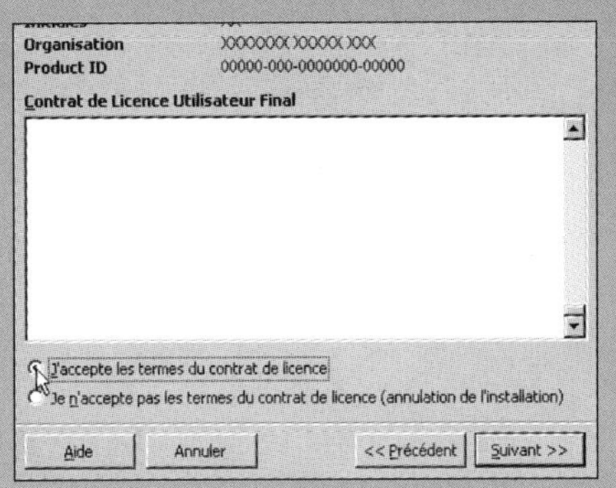

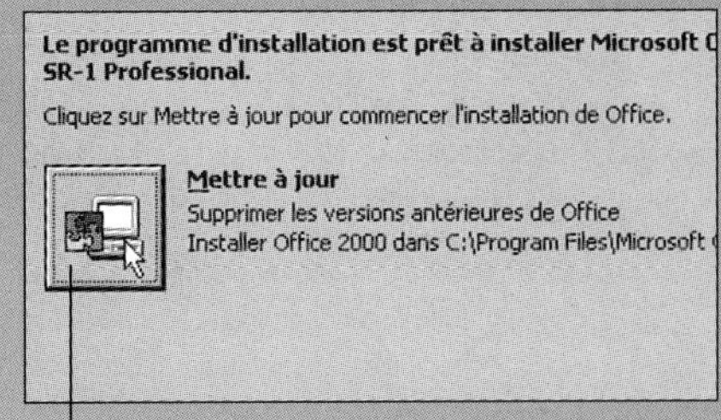

Mettre à jour apparaît à la place de Standard s'il y a une version antérieure de Microsoft® Office sur ton ordinateur.

9. Lis maintenant le Contrat de licence Utilisateur final dans la boîte de dialogue. Il contient des détails à connaître sur l'utilisation de Microsoft® Office.

10. Après avoir lu le Contrat, clique dans le petit rond devant « J'accepte les termes... ». Un point apparaît dans le rond. Clique à présent sur *Suivant*.

11. Une autre boîte de dialogue apparaît. Clique sur *Standard*. S'il y a déjà une version antérieure d'Office sur ton ordinateur, clique sur *Mettre à jour*.

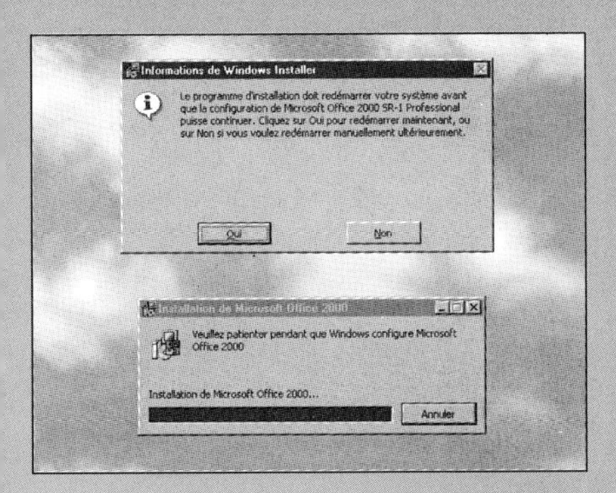

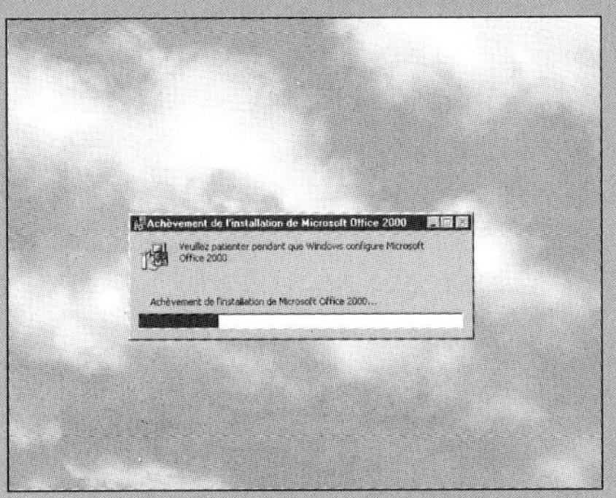

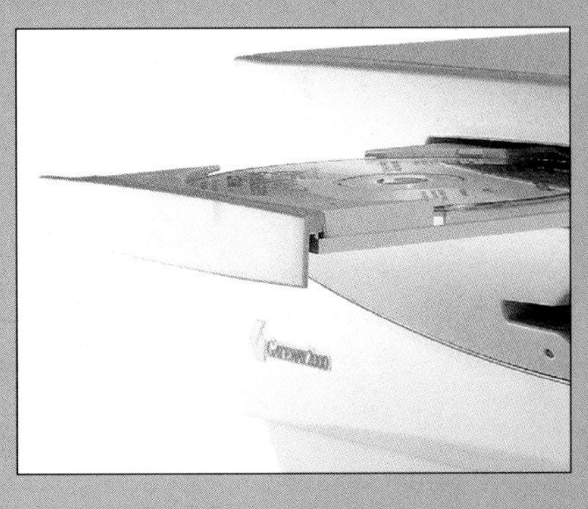

12. Une boîte de dialogue s'ouvre. Une bande de couleur remplit peu à peu la case blanche. Au bout d'un moment, une autre boîte de dialogue indique que l'ordinateur va redémarrer. Clique sur *Oui*.

13. L'ordinateur s'éteint et se rallume de lui-même. Une boîte de dialogue apparaît. Lorsque la bande de couleur a recouvert entièrement la case blanche, PowerPoint est installé.

14. À présent, retire le CD-ROM du lecteur et remets-le dans son boîtier. Te voilà prêt à lancer Microsoft® PowerPoint 2000. Pour cela, retourne aux pages 6-7 du livre.

Dernière étape

L'installation terminée, Microsoft® PowerPoint 2000 est prêt à l'emploi. Toutefois, avant d'aller plus loin, tu dois remplir la carte d'inscription qui se trouve dans le coffret de Microsoft® Office 2000. Après l'avoir complétée, envoie-la sans tarder à Microsoft pour leur faire savoir que tu viens d'installer PowerPoint sur ton ordinateur. Tu trouveras l'adresse d'envoi pour ton pays dans l'une des brochures du coffret.

Au cours de l'installation de logiciels, il faut parfois attendre longtemps d'un écran à l'autre et il arrive que l'ordinateur émette des bruits bizarres. C'est normal.

Dépannage

Les choses ne se passeront peut-être pas toujours comme elles devraient ou comme elles le sont expliquées dans ce livre. Pas de panique ! Voici quelques conseils pour y voir plus clair.

Trouver PowerPoint

Ce menu se déroule lorsque tu cliques sur Démarrer.

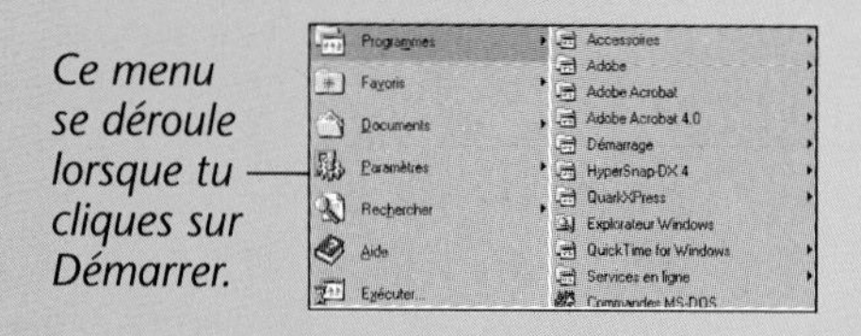

Chaque flèche amène à un autre menu.

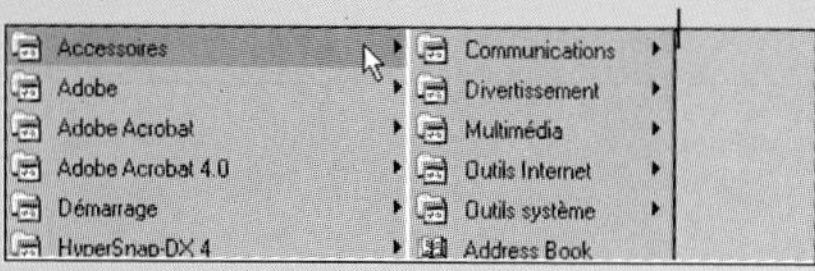

1. Si PowerPoint 2000 ne figure pas dans le menu qui suit le menu Démarrer, il y a néanmoins une chance qu'il se trouve ailleurs.

2. Dans le second menu, clique sur la première ligne au bout de laquelle apparaît une petite flèche. Un autre menu apparaît. Regarde si tu vois PowerPoint.

3. S'il y est, clique dessus, sinon clique sur les autres lignes dotées d'une flèche. Si tu ne le trouves toujours pas, c'est qu'il n'est probablement pas encore installé.

Retrouver une barre d'outils manquante

Il manque une barre d'outils ici.

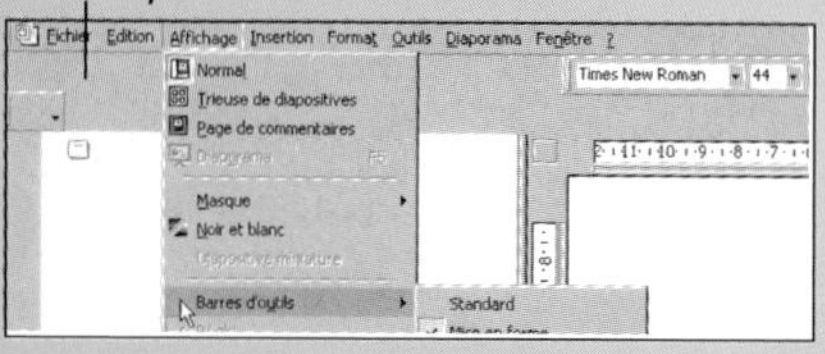

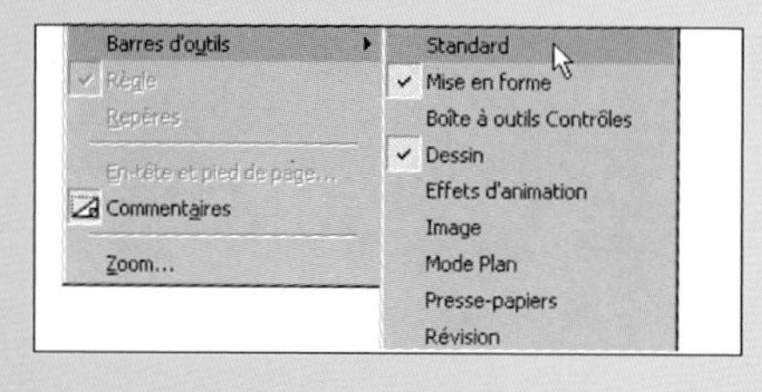

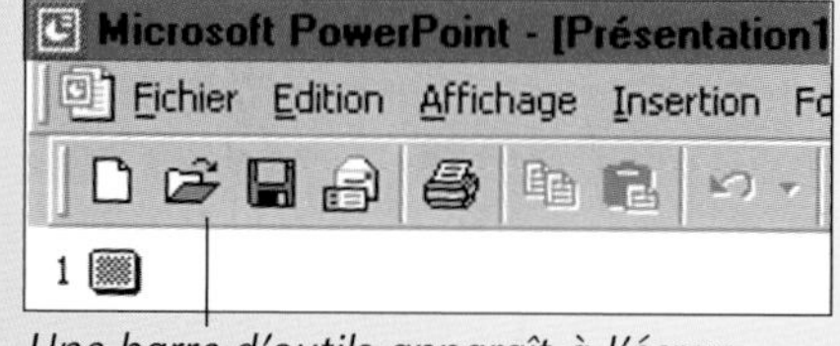

Une barre d'outils apparaît à l'écran.

1. Si les barres d'outils qu'il te faut ne sont pas toutes affichées, clique sur *Affichage* puis sur *Barres d'outils*. Un autre menu apparaît.

2. Les options *Standard*, *Mise en forme* et *Dessin* doivent être cochées. Si l'une ne l'est pas, clique dessus.

3. Le menu disparaît. La barre d'outils manquante apparaît maintenant à l'écran, prête à l'emploi.

Polices

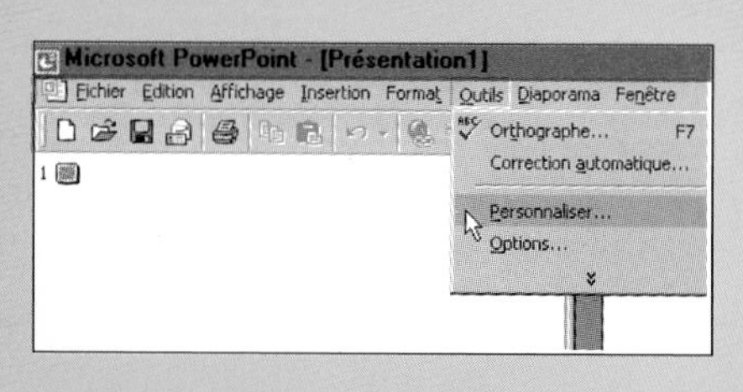

Options

Une coche apparaît dans la case lorsque tu cliques ici.

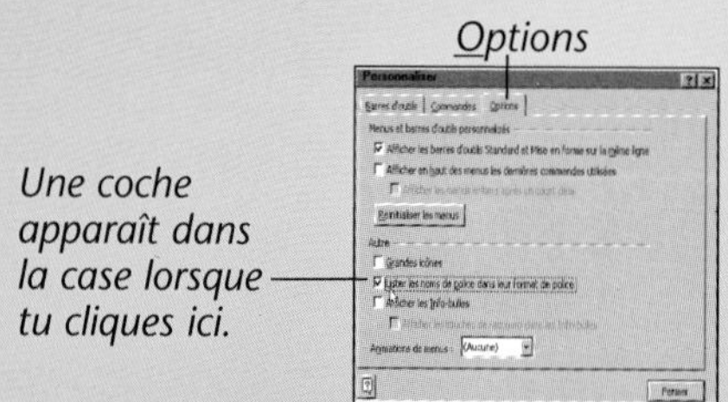

Clique ici pour voir la liste des polices.

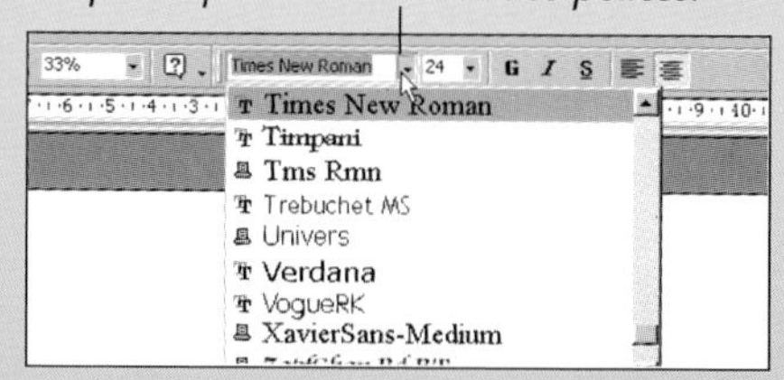

1. Si toutes les polices de la liste des polices ont toutes le même aspect à l'écran, clique sur *Outils*, puis sur *Personnaliser*.

2. Une boîte de dialogue s'ouvre. Clique sur *Options*, puis sur *Lister les noms de police...* pour cocher la case. Enfin, clique sur *Fermer*.

3. Clique sur la flèche vers le bas au bout de la zone Police. La liste des polices t'offre maintenant un aperçu de leur aspect respectif.

L'Assistant Office

L'Assistant Office peut t'aider à remédier à des problèmes en tous genres. Pour le faire apparaître, clique sur l'outil Aide dans la barre de menus.

l'outil Aide

Si tu continues à travailler en laissant l'Assistant Office affiché à l'écran, il te proposera des conseils et des raccourcis utiles.

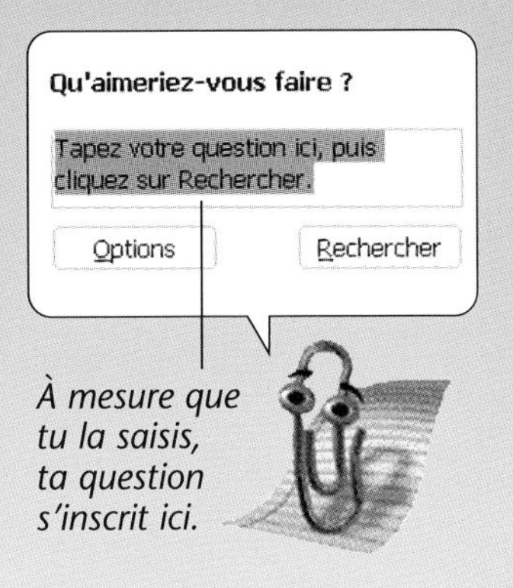

À mesure que tu la saisis, ta question s'inscrit ici.

Saisis un mot ou une question, puis clique sur *Rechercher*. L'Assistant offre une foule d'options. Clique sur l'une d'elles pour en savoir plus. Lorsque tu as trouvé la réponse que tu cherchais, clique sur la petite croix, en haut dans le coin, pour fermer la fenêtre Aide. L'Assistant reste affiché à l'écran. Pour le faire disparaître, clique dessus avec le bouton droit de la souris, puis, dans le menu qui apparaît, clique sur *Masquer*.

L'Assistant Projecteur

L'Assistant Projecteur est là pour t'aider à connecter un ordinateur portable à un projecteur et à t'assurer qu'ils fonctionnent correctement ensemble.

L'Assistant Projecteur te pose une série de questions et te donne certaines instructions en fonction des modèles d'ordinateur et de projecteur utilisés.

Tu devras peut-être cliquer sur la double flèche au bas du menu pour que l'option Paramètres du diaporama apparaisse.

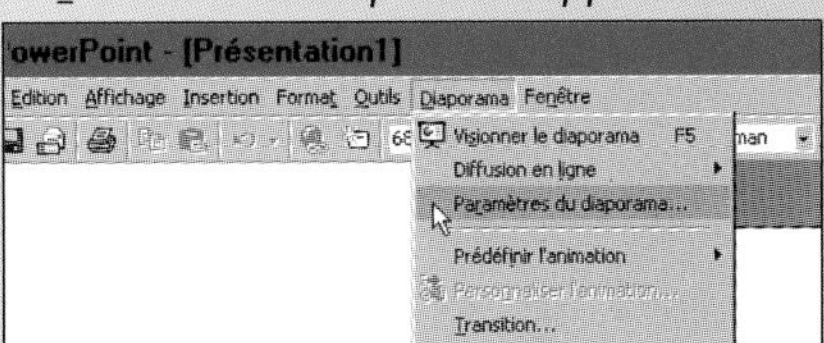

1. Clique sur *Diaporama* dans la barre de menus. Place le pointeur sur *Paramètres du diaporama* et clique dessus.

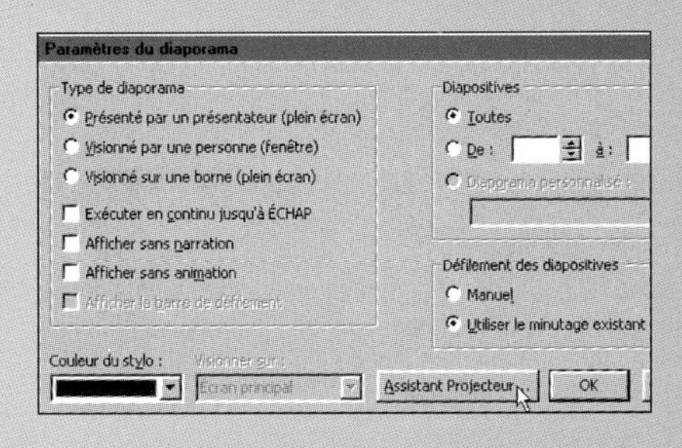

2. Dans la boîte de dialogue qui apparaît, clique sur *Assistant Projecteur*, en bas, pour accéder à la première page de l'Assistant.

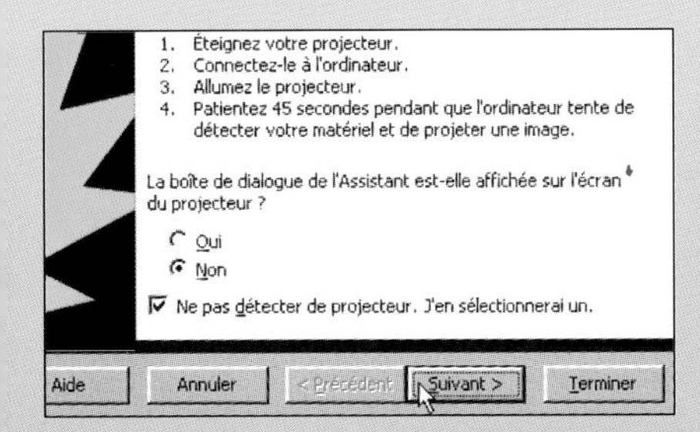

3. Sur chaque page, réponds aux questions et suis avec soin les instructions, puis clique sur *Suivant* pour continuer.

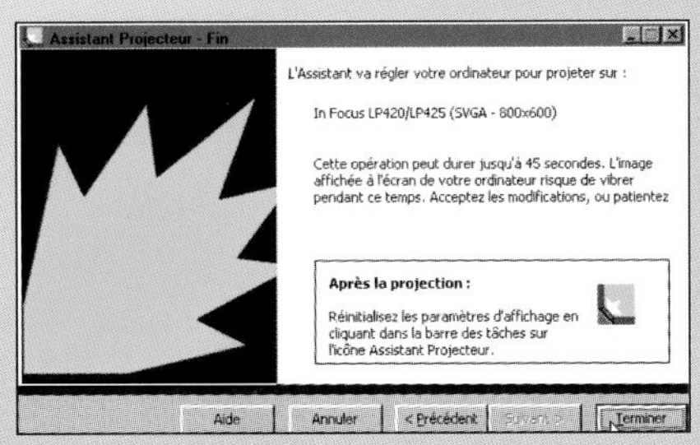

4. Arrivé à la dernière page, lis attentivement les instructions, puis clique sur *Terminer*. Le projecteur est maintenant prêt.

Si l'Assistant Projecteur ne résout pas le problème, consulte le manuel du projecteur.

Dépannage courant

Les ordinateurs sont parfois déroutants pour un débutant. Si quelque chose d'inattendu se produit lorsque que tu utilises le tien, pas de panique, car la solution est en général assez simple. Voici quelques conseils pour résoudre les problèmes les plus courants.

1. Si tu abandonnes ton ordinateur quelques instants, tu retrouveras peut-être l'écran tout noir ou rempli de motifs colorés. Ne t'inquiète pas, il reprendra son aspect normal dès que tu auras déplacé la souris.

2. Si le bouton Démarrer n'apparaît pas dans le coin inférieur gauche de l'écran, descends le pointeur tout en bas de l'écran. Lorsqu'il prend la forme d'une petite flèche noire, clique et fais glisser le pointeur vers le haut. Le bouton Démarrer sera ainsi ramené à l'écran.

3. Si tu penses avoir perdu une présentation, elle est peut-être simplement cachée sous une autre. Clique sur *Fenêtre*, en haut de l'écran. Le menu qui apparaît contient une liste de toutes les présentations ouvertes. Amène le pointeur sur le nom de celle que tu cherches, puis clique dessus pour la faire réapparaître.

4. Si tu double-cliques par inadvertance sur une image, un message apparaît qui t'invite à la transformer en un objet dessin Microsoft Office. Clique sur *Non* pour poursuivre ton travail.

5. Si la lettre initiale d'une ligne de texte se met automatiquement en majuscule, tu peux la remettre en minuscule en plaçant le point d'insertion à droite de cette lettre. Ensuite, appuie sur la touche Retour arrière, puis tape de nouveau la lettre.

6. Il arrive que l'imprimante refuse d'imprimer. Si cela se produit, vérifie qu'elle contient assez de papier et qu'elle est allumée. Si le problème persiste, consulte le mode d'emploi de l'imprimante.

7. Si tu fais une fausse manœuvre, tu peux l'annuler en maintenant la touche Ctrl enfoncée et en appuyant sur la touche Z.

8. Si tu as des problèmes pour modifier sur tes diapositives l'apparence des caractères, des images ou des tableaux, vérifie qu'ils sont bien sélectionnés. L'ordinateur ne modifie que ce qui est sélectionné.

9. Si un petit menu surgit à l'écran, tu as peut-être appuyé par inadvertance sur le bouton droit de la souris. Pour le faire disparaître, il suffit de placer le pointeur en dehors du menu et de cliquer avec le bouton gauche de la souris.

10. Si l'écran Windows® reste apparent autour de l'écran PowerPoint, clique sur le bouton Agrandir dans le coin supérieur droit de l'écran. PowerPoint remplit ainsi l'intégralité de l'écran.

l'outil Agrandir

11. Si tu ne vois plus l'écran PowerPoint, peut-être est-il seulement caché. Si un rectangle *Microsoft PowerPoint* figure dans la bordure inférieure de l'écran, clique dessus pour faire réapparaître l'écran PowerPoint.

Clique ici pour faire réapparaître PowerPoint.

Microsoft PowerPoint -

12. Si tu saisis quelques mots et qu'ils ne s'inscrivent pas à l'endroit prévu, c'est que ton point d'insertion n'est pas au bon endroit. Les mots s'inscrivent toujours directement à droite du point d'insertion, où qu'il soit.

Glossaire

Une **animation** est un moyen de mettre des mots et des images en mouvement.

Arrêter l'ordinateur désigne l'opération à effectuer avant de l'éteindre.

Une **barre d'outils** désigne la rangée sur laquelle sont rassemblés les outils.

Une **boîte de dialogue** est une fenêtre permettant de fournir des informations à un programme.

Un **CD-ROM** désigne une catégorie de disque permettant de transférer des programmes sur un ordinateur.

Les **Clip arts** sont des images fournies avec PowerPoint. Elles peuvent te servir à illustrer tes diapositives.

Cliquer consiste à appuyer sur le bouton gauche de la souris et à le relâcher immédiatement.

Cliquer avec le bouton droit consiste à appuyer sur le bouton droit de la souris et à le relâcher immédiatement.

Cliquer-déplacer consiste à maintenir le bouton gauche de la souris enfoncé tout en déplaçant celle-ci.

Les **commentaires** sont des notes imprimées servant à te rappeler ce que tu es censé dire ou faire pendant la présentation.

Un **diagramme en colonnes** est un moyen de présenter des informations dans le but de comparer plusieurs lignes ou colonnes de valeurs.

Un **diaporama** est la présentation, une par une, de toutes les diapositives d'un exposé.

Une **diapositive** est le nom donné à chacune des pages d'une présentation PowerPoint.

Le **disque dur** permet de stocker les dossiers ainsi que les programmes qui font fonctionner l'ordinateur.

Les **documents** sont des versions miniatures des diapositives imprimées sur papier.

Un **dossier** désigne l'emplacement dans lequel tu stockes présentations, images et autres travaux créés à l'ordinateur.

Double-cliquer consiste à appuyer et à relâcher deux fois très rapidement le bouton gauche de la souris.

Enregistrer désigne le fait de stocker un travail fait sur l'ordinateur, tel qu'une présentation.

Une **fenêtre** est un cadre à l'écran de l'ordinateur. Chaque nouvelle présentation ou nouveau programme s'ouvre dans une nouvelle fenêtre.

Une **feuille de données** désigne un tableau que tu complètes avec des valeurs afin de créer un diagramme en colonnes.

Importer signifie introduire dans PowerPoint une image créée avec un autre programme.

Installer des logiciels revient à les charger sur l'ordinateur par transfert sur le disque dur des informations contenues sur un CD-ROM. Ces informations restent ensuite stockées sur l'ordinateur.

Logiciel est un autre nom donné aux programmes informatiques.

Matériel est le nom donné à l'équipement informatique.

Un **menu** est une liste d'options à sélectionner.

Les **modes d'affichages** définissent les différents agencements de la fenêtre PowerPoint. Dans ce livre, tu as vu le mode Normal et le mode Trieuse de diapositives.

Le **nom de fichier** est le nom que tu donnes à ta présentation lorsque tu l'enregistres.

Les **outils** sont des images miniatures sur lesquelles on clique pour donner des instructions à l'ordinateur. Ils sont généralement alignés et forment des barres d'outils.

Les **poignées** sont les petits carrés qui apparaissent autour d'une image, d'un diagramme, d'un tableau ou d'une zone de texte quand tu les sélectionnes.

Le **point d'insertion** désigne le trait clignotant à la suite duquel s'inscrivent les caractères saisis.

Le **pointeur** peut être déplacé à l'écran à l'aide de la souris. Il prend d'ordinaire la forme d'une petite flèche blanche.

Une **police** est un style de caractères.

Les **programmes** sont des instructions transmises à l'ordinateur. PowerPoint est un programme informatique qui est compris dans le groupe de programmes Microsoft® Office.

Une **puce** désigne le point au début de chaque nouvelle entrée d'une liste saisie à l'ordinateur.

Redimensionner consiste à réduire ou à agrandir des objets sur des diapositives.

Sélectionner des mots, des images, des tableaux ou des diagrammes permet d'en modifier l'apparence.

La **souris** sert à déplacer le pointeur sur toute la surface de l'écran.

Un **tableau** permet de disposer des informations en lignes et colonnes.

Texte désigne un ensemble de mots.

Une **transition** est une catégorie d'effets spéciaux déterminant le passage d'une diapositive à l'autre au cours de la présentation.

L'**unité centrale** contient les éléments de l'ordinateur chargés du stockage et du traitement des informations.

Les **volets** désignent les différentes parties de la fenêtre PowerPoint. Celle-ci est généralement divisée en trois volets.

Une **zone de texte** désigne un cadre dans lequel tu saisis les mots à intégrer à une diapositive.

Index

Microsoft® PowerPoint®, Microsoft® Office et Microsoft® Windows 98 sont soit des marques, soit des marques déposées de Microsoft Corporation aux États-Unis et/ou dans les autres pays. Captures d'écran reproduites avec l'autorisation de Microsoft Corporation. Photographies utilisées avec l'autorisation de Microsoft Corporation. Cet ouvrage n'est pas un produit de Microsoft Corporation. Photographies des ordinateurs avec l'autorisation de Gateway. Photographies des imprimantes avec l'autorisation de Hewlett Packard. Remerciements à Sony. Images de couverture © Digital Vision, NASA.

© 2002 Usborne Publishing Ltd, Usborne House, 83-85 Saffron Hill, Londres EC1N 8RT, Grande-Bretagne. © 2003 Usborne Publishing Ltd pour le texte français. Le nom Usborne et les marques sont des marques déposées d'Usborne Publishing Ltd. Tous droits réservés. Aucune partie de cet ouvrage ne peut être reproduite, stockée en mémoire d'ordinateur ou transmise sous quelque forme ou moyen que ce soit, électronique, mécanique, photocopieur, enregistreur ou autre sans l'accord préalable de l'éditeur. Imprimé en Espagne.

Responsable de la rédaction : Fiona Watt Responsable maquette : Russell Punter Remerciements à Henry Brook et Zoe Wray